남겨진 마음

ModernBooks

남겨진 마음

발　행 | 2024년 6월 30일
저　자 | 김세연, 금소니, 이소민, 조은재, 청미 오정애
펴낸이 | 박강산
펴낸곳 | 모던북스
출판사등록 | 2022.10.27.(제2022-144호)
주　소 | 서울특별시 동작구 흑석로 84, 108관 210호
이메일 | modernbooks_official@naver.com

ISBN | 979-11-93445-17-4

https://modernbooks.co.kr

들어가며

『남겨진 마음』에는 모던북스의 <작가가 되는 시간>을 통해 발굴한 재능과 통찰력을 갖춘 6명의 신인 소설가들의 작품으로 이루어져 있습니다.

콜럼바인 고교 총기 난사 사건을 모티브로 테러의 참담함과 피해자의 후유증, 비극에 대한 분노의 감정을 중심으로 전개되는 (「풍선 공포증」), 어두운 지하 터널로 끝없이 추락하는 것 같은 삶 속에서도 도약을 준비하는 인물의 고군분투기를 담은 (「쇼핑백의 기적」)이 수록되어 있습니다.

또한 정교한 묘사를 기반으로 인물 간 정서와 비극을 극대화 한 (「Gift」), 단단한 도미노처럼, 홀로 나열된 마음들이 쓰러지면서 서로 연결됨을 소설로 형상화한 (「수면 위를 나는 별」), 꿩을 주요 소재로 인물의 성장을 차분히 조명하며 사람에 대한 온정을 보여준 (「꿩」), 사소한 인연의 소중함을 강조하는 이야기 (「그날의 식사」)가 수록되어 있습니다.

차　례

풍선 공포증

김세연

　언젠가 큰 풍선을 타고 날아가고 싶다. 그것을 열기구라고 하던가. 그럴 수만 있다면 난 이 세상 어떤 것도 두렵지 않을 것 같다. 작은 풍선조차 무서워 벌벌 떨었던 나날들을 땅에 버려두고 다신 돌아오지 않을 것 같이 하늘로 올라가고 싶다. 하지만 지금 당장은 힘들 것이다. 풍선을 바라만 봐도 숨이 막혀오는 지금은. 지금의 나에겐 풍선만큼 무서운 건 없다. 그 모습 자체로 무서운 것이 아니라 그 풍선이 터져서 날 소리가 미치게 무섭다. 그 굉음은 그저 풍선을 바라보기만 해도 내 머릿속을 시끄럽게 울려댄다.

원래부터 풍선 터지는 소리를 두려워한 것은 아니었다. 오히려 파티가 끝나고 동시에 다 같이 풍선을 터뜨리며 마무리하는 시간을 좋아했었다. 처음엔 내가 풍선을 두려워하기 시작한 것을 알지도 못했다. 아마 열여섯이 지난 후인 건 맞을 텐데 정확한 시기가 언제인지는 알 수가 없다. 우연히 길에서 지나가던 어린아이의 풍선이 터진 날, 내가 과호흡을 일으키고 구급차에 실려 간 이후에서야 내 풍선 공포증의 존재를 알았다. 그 전까지는 알 방도가 없었다. 열여섯에 겪은 그 끔찍한 기억이 조금의 관련도 없는 풍선에 남을 줄은 상상도 못했으니까.

아무렇지 않은 날이었다. 정말로 아무 일도 없어서 조금은 재미없는 날이었다. 곧 고등학교 2학년이 되는 시기. 처음 만났던 친구들과 함께 보낸 시간이 쌓여 이제는 제법 친해진 시기. 점심시간이 끝난 직후의 수업이었다. 여느 때처럼 몰려오는 피로감에 눈 뜨기도 버거웠던 기분이 확실하게 기억난다.

갑자기 굉음이 들렸다. 고요한 정적을 찢고 나오듯 거칠고 야성적인 소리였다. 두꺼운 고무로 된 풍선이 터지는 소리 같았다. 물풍선이 아니라 아무것도 들어있지 않은 공기만이 가득한 풍선. 그저 갇혀있던 공기가 기다렸다는 듯 밀고 나와 팡 터지는 소리. 그 소리가 너무 거대해서 귀가 아닌 심장에서 울리는 것 같았다. 하지만 아이러니하게도 내 옆에서 난 소리가 아니었다. 묘하게 막혀있었다. 그 뒤로 세 번 정도 더 풍선 소리가 늘렸고 귀가 찢어지는 듯한 비명이 들렸다. 손끝부터 시작해 순식간에 온몸에 소름이 끼쳤다. 지금껏 들어온 비명과는 차원이 달랐다. 생존을 바라는 짐승 같은 울음소리가 건물을 울려댄다. 교실의 분위기가 한순간 싸해졌다. 아마 이 소름을 함께 느꼈을 같은 반 아이들이 웅성대며 일어나 무슨 일인가 싶어 두리번거렸다. 잠시의 정적 후 누군가가 한 마디를 꺼냈다.

공포영화 보나?

그 학생의 한 마디에 반의 분위기가 잠시 풀어졌다. 그 말을 뒤로 부럽다며 우리는 왜 영화를 안 보냐고 몇몇 아이들이 투덜거리기 시작했다. 선생님은 자신의 허락 없이 일어난 아이들을 제지하며 들고 있던 책을 자리에 내려두고 복도로 나가 상황을 보셨다. 선생님이 나가고 나서 잠시 비명 소리가 들리지 않았다. 그래서 우리는 역시 학생들의 장난 혹은 영화 소리였겠구나 했다.

하지만 선생님은 돌아오지 않았고 약 10분이 지나 다시 비명 소리가 이어졌다. 이번엔 비명 소리뿐 아니라 창문이 깨지는 소리가 났다. 이번엔 가까운 거리였다. 아마 옆 반인 것 같았다. 비명을 지르는 사람이 점점 많아지는 듯 소란은 이어져갔고 우리 반의 학생들은 무섭다며 겁을 먹기 시작했다. 결국에 평소 오지랖이 넓고 호기심이 많던 코니가 복도에 얼굴을 내밀었다.

우리는 그런 코니를 바라보았다. 아마 우리는 반의 밝은 분위기를 맡고 있는 그가 무엇이라도 말해주길 기다렸을 것이다. 그러나 코니는 말이 없었다. 되려 그의 표정에 반의 분위기는 더욱 긴장이 감돌게 되었다. 복도를 관찰하고 반 아이들에게 상황을 말해줄 것 같았던 코니는 경직된 표정과 몸으로 복도를 바라보며 그저 서 있기만 했다. 항상 웃으며 친구들에게 장난을 치고 가십거리를 좋아하던 코니의 싸한 표정은 그날 처음 보았다. 순간 코니가 인간이 아닌 줄 알았다. 마치 태엽이 다 돌아간 값싼 장난감 같았다. 코니가 이상하게 말이 없자 평소 코니와 가장 친했던 하퍼가 그에게 다가가 함께 복도로 얼굴을 내밀었다.

그때였다. 하퍼의 머리 뒤로 검붉은 피가 터지더니 녹색이었던 교실 문이 붉게 물들었다. 그리고 하퍼가 그대로 쓰러졌다. 그 피를 뒤집어쓴 코니는 벌벌 떨며 눈물만 흘렸다. 그리곤 얼마 지나지 않아 코니 또한 머리에서 피를 뿜고 힘없이 쓰러졌다. 쓰러진 둘의 손과 발이 잘게 경련하는 것이 보였다. 진공 같던 찰나의 정적이 지나고 반에 있던 학생 모두가 소리를 지르기 시작했다. 귀 찢어질 듯한 비명 소리 속에 우리까지 빨려 들어갔다. 이젠 큰 굉음이 우리 앞으로 다가왔다. 그들의 쓰러진 시체를 뒤로 검은색 긴 물체가 정체를 드러낸다. 그것은 성인 남성도 두 손으로 들어야 할 만큼 기다란 소총이었다. 커다란 풍선 소리의 정체는 총이었다. 그 소리는 '탕'보다는 '팡'에 가까웠다. 귀로 듣는 소리를 글자로 표현하기엔 무리가 있겠지만 적

어도 내가 듣기엔 그랬다. 순간적으로 그 소리가 총인가 생각한 건 사실이지만 당연하게도 그럴 리가 없다고 생각했다. 총기 소유가 가능한 나이는 21세부터이고 우린 16살이었다. 고작 고등학교 신입생들이다. 총을 소지하는 건 말도 안 된다. 물론 그렇다고 불가능하진 않았다. 불법적인 대리 구매는 얼마든지 가능했고 실제로 내 친구들 중에서도 몇몇은 자신을 보호한다는 명목하에 부모님 허락에 따라 총을 소지하기도 했으니까. 하지만 그렇다고 해서 그 누가 고등학교에서 총을 무작위로 쏴 대는 정신 나간 짓을 할 수 있다는 말인가.

총이 모습을 드러내고 나서 총구가 가리키는 분단에 있던 아이들이 순식간에 죽어 나갔다. 난 교실 안에서 처음 죽은 분단의 아이들과 제일 먼 창가 쪽 뒷자리에 있었다. 그 옆 분단의 아이들까지 죽어가기 시작할 때쯤 난 총을 든 사람이 누군지 확인할 겨를도 없이 당장 일어나서 창문을 열었다. 내가 있던 교실은 2층이었고 맨몸으로 떨어지더라도 다리만 다칠 정도였다. 당장 뛰어내리자고 생각하며 창틀에 올라 밑을 바라봤다. 하지만 바로 뛰어내릴 수 없었다. 난 아래를 본 순간 내가 보는 것을 믿을 수가 없었다. 내 의지와 다르게 숨이 쉬어지지 않았다. 놀라지 않을 수 없었다. 그 자리에서 뛰어내리지 못하고 창틀에 올라타 그대로 얼어붙었고 사고는 정지되었다. 내가 본 총과 비슷하게 생긴 소총을 든 남학생이 실외에 있는 사람을 보이는 대로 쏘고 있었다. 총구가 향하는 사정거리 안에 사람이 있다면 바로 쏴 죽였다. 내가 지금 보는 장면들을 믿고 싶지 않아서 차라리 내가 지금 제정신이 아니라고 믿고 싶었다. 총을 쏘는 테러범이 한 사람이 아니라는 것이다. 그때 느낀 공포와 좌절은 아직도 생생하다. 피부에 닿는 공기에서부터 직감이 왔다. 아, 내가 내일을 살지 못할 수도 있겠구나.

반에 있는 아이들이 너도나도 할 것 없이 창문으로 달려들었다. 그 과정에서 나와 가장 친하게 지냈던 벨이 나를 밀었다. 떨어지려는 순간 본능적으로 학교 배수관을 잡고 창문 끝에서 버텼다. 비명이 끊이지 않고 창문에서 사투가 이어지자 실외에 있던 공범이 위를 바라보았다. 그리곤 나와 눈이 마주쳤다. 난 그날 본 소년의 미소를 아직도 잊지 못한다. 순간 시간이 멈추고 주변 모든 소음이 들리지 않았다. 소년이 섬뜩한 미소를 짓고는 팔을 들어 총구를 내 쪽으로 겨누었다. 그때 난 내가 죽을 거라고 생각했다. 피할 수 없었다. 그러나 운 좋게 친구들에게 가려져 총을 맞지 않았다. 밑에 또 다른 테러범이 있을 줄 몰랐던 교실의 아이들이 창문으로 바로 뛰어내리자 부서진 댐의 물이 터져 나오듯 넘쳐흘렀기 때문이다. 그리고 벨은 이때 죽었다. 슬퍼할 시간이 없었다. 벨이 나를 밀어버린 것은 생각도 나지 않았다.

배수관에 매달려 내 앞에 친구들이 실시간으로 죽어 나갈 때 옆 교실의 창문이 깨진 것을 보았다. 내가 범인의 시야에 보이지 않을 틈을 타서 옆 교실로 들어갔다. 아마 허벅지가 크게 찢어진 것은 이때 깨진 창문 유리에 다리를 긁힌 것이 이유일 것이다. 옆 반 아이들은 전멸이었다. 마치 슈팅 게임 속에 있는 것 같았다. 눈을 차마 감지 못하고 간 아이들이 시린 피 냄새를 풍기며 엉켜 누워있었다. 눈물이 나왔다. 너무 무서웠다. 부모님이 보고 싶었다. 손이 떨리고 심장이 입 밖으로 튀어나올 듯 빨리 뛰었다. 내 심장 소리가 머릿속을 울려대서 어지러웠고 속이 메스꺼워 당장이라도 먹었던 점심을 게워낼 것 같았다. 정말 지금 당장 죽을까 겁이 나서 어린아이처럼 어깨를 들썩이며 흐느꼈다. 지금 죽더라도 부모님의 품에서 죽고 싶었다. 이제 살아 있는 사람이 없을 내 교실 쪽에서는 희미한 콧노래가 들렸다.

생각이라는 것을 할 틈도 없이 짧은 시간이 지난 후 고요한 복도에 발걸음 소리가 울리기 시작했다. 그 소리가 점점 가까워졌다. 다시 한번 죽는다는 공포가 온몸을 장악했다. 난 살아야 한다. 죽고 싶지 않다. 살자, 이 생각 하나만 했던 것 같다. 생각을 뒤로하고 시체가 가장 많이 쌓인 더미 속으로 들어갔다. 숨을 자리를 위해 시체를 치우고 다시 내 몸을 시체로 덮으면서 아무 생각이 들지 않았다. 지금 돌이켜보면 그 아이들에게 미친 듯이 미안했지만 죽고 싶지 않았다. 이 아이들 또한 같은 생각이었을 테지만 아마 상황을 파악하기도 전에 눈앞에 총구가 있었을 것이다. 나와 이 아이들이 크게 다르지 않다. 순간의 몇 초와 약간의 운으로 난 지금 살아있다. 지금 이 상황은 꿈이 아니다. 차라리 현실을 자각하지 못했다면 포기라도 할 수 있었겠지만 불가능한 이야기였다. 현실이라는 것을 소름 끼치게 잘 알 수 있었다. 시간은 느렸고, 공기는 차가웠고, 내 손에 묻은 피는 뜨거웠으니까. 난 지금 정신을 차리지 않으면 죽는다. 이건 현실이다. 눈앞에 있는 친구의 눈동자를 본 나는 살면서 가장 뜨거운 눈물을 흘렸다. 초점도 빛도 없는 공허한 눈이었다.

나는 살아남아야 했다. 살아남아서 이 아이들의 이름을 기억하고 총을 쏜 추악한 이가 누군지 알아야 했다. 대체 어떤 하찮은 용감에 취해서 이렇게 잔인하고 비열한 짓을 벌이는지 그 이유를 알아야 한다. 시체 속에서 하염없이 눈물을 쏟으며 손에 잡히는 옷깃들을 손톱이 살에 파고들 듯 꼭 잡고 숨을 죽였다.

옆 교실에서 들리던 콧노래가 점점 가까워졌다. 그리곤 이쪽으로 다가오는 발걸음도 멈추었다.

이 층이 마지막이었지? 이제 다 끝났네. 수고했어, 노아.
다 죽인 거 맞지? 올리버.

죽은 듯 쉬던 숨이 헉하고 멈추는 듯한 느낌이 들었다. 노아와 올리버. 노아는 우리 반에 있던 조용한 친구이고 올리버는 제일 끝 반에 있던 친구이다. 올리버와는 같은 중학교를 졸업해서 그가 누구인지 알고 있다. 친구들 사이에서 음침하다는 소문이 자자한 그였다. 그 이름을 듣고 나서 둘의 목소리를 알아볼 수 있었다. 평소의 목소리에서는 상상도 안 될 들뜨고 신난 목소리였다. 이 수많은 생명의 피를 보며 웃는 소리이다. 그들 하나하나가 살아온 긴 시간이 자신들의 방아쇠 한 번에 돌이킬 수 없이 사라졌는데 웃고 있다. 소름이 끼치고 역겨워서 구역질이 나왔지만 이를 악물고 참았다. 내가 시체 속에서 살아 숨 쉬는 줄 모르는 그들은 계속해서 대화를 나누었다.

죽기 아깝네. 지금 기분 미치게 짜릿하거든.
그럼 감방살이라도 하려고? 그냥 다음 생에 다시 태어나자.
다음 생에 또 할 거야?
너랑 다시 만난다면 할 거야.
그럼 다시 만나야겠다.

저들은 제정신이 아니다. 대화 중간중간 들리는 낄낄거리는 웃음소리가 치가 떨렸다. 너무도 비인간적인 저들의 사고에 소름이 끼쳤다. 그러다가 갑자기 내 배 위로 묵직한 무게가 느껴졌다. 예고 없이 들어온 무게감에 순간적으로 윽, 하고 소리를 낼 뻔했다. 노아의 목소리가 바로 위에서 들리는 것으로 보아 아마 그가 시체 더미를 깔고 앉은 것 같았다. 이때 소리를 냈다면 역시 난 죽었을 것이다. 정신 나간 대화를 숨죽이고 듣고 있자니 내 귀를 뜯어버리고 싶었다.
창문이 깨져있어서 바깥소리가 잘 들릴 텐데도 어색하리만큼 조용했다. 사람의 소리가 들리지 않아서 마치 해 뜨기 전 새벽처럼 고요했다. 둘의 대화만 들릴 뿐이었다. 아마 이 학교에 있는 모두가 전멸했거나 나처럼 숨죽이고 도움을 기다리고 있는 사람이라서 그럴 것이다. 그 상황이 재밌는 듯 두 범인은 아주 행복해 보였다. 노아와 올리버가 미친 소리를 계속 떠들더니 일어나 나에게서 멀어져갔다. 이야기를 들어보니 아마 자살하러 가는 것 같다. 운동장에서 임무를 마치고 전사한 군인처럼 멋있게 죽는다고 한다. 그 발걸음은 소리만 들어도 신나 보였다. 이해할 수 없는 정신상태에 분노의 수준을 넘어 공포심이 들 정도였다. 겉으로 보기에 다른 아이들과 크게 달라 보이지 않던 둘이었다. 대체 저들을 저렇게 미치게 만든 것은 누구일까. 아니, 그게 사람은 맞을까.

둘이 떠난 후 운동장 쪽에서 총성이 동시에 한 발 들리고 나서야 이 미친 반란이 끝이 났다. 온몸이 경직되어 당장 그 시체 더미를 박차고 나올 수가 없었다. 혹여나 공범이 또 있을지도 몰라서 두려웠다. 한 차례의 긴장이 풀리자 그저 눈물을 흘리는 것밖에는 아무것도 할 수 없었다. 살고 싶어 미치겠는데도 이 상황이 너무 끔찍해서 죽고 싶은 마음이 들었다. 밀려오는 공포심을 더이상 감당할 수가 없었다. 경찰의 사이렌 소리가 들리기 전까지의 몇 분이 마치 몇 년이라도 되는 것처럼 느껴졌다. 내 앞엔 아직 눈을 감지 못하고 간 친구들이 있다. 그중 몇 명은 이름도 얼굴도 아는 친구들이다. 난 이 아이들을 오랫동안 기억해야 한다. 내가 이날의 진상을 말하고 저 둘의 대화를 알려야 한다.

난 그날 기적적으로 살아남았다. 그날 살아남은 생존자는 14명이었다. 524명의 아이와 교사가 누군가의 유흥을 위해 죽었다. 기가 찰 정도로 얄팍한 이유 때문에 목숨을 잃은 그들은 다시는 돌아올 수가 없다. 가해자 아이들 또한 그 날 이후로 죽은 이들이었기에 12년이 지난 지금까지 정확한 범행동기를 알 수 없었다. 난 이미 꺼진 듯한 정신상태를 꾸역꾸역 부여잡고 그날의 아픔과 공포를 생생히 언론에 전달했다. 내 인터뷰 영상은 SNS와 뉴스에 지겨울 정도로 많이 나왔다. 그렇게 마지막 불씨를 끈 뒤 난 할 일을 다 한 듯 모든 것을 포기했다. 그 후로 2년을 끔찍한 후유증에 시달렸다.

난 풍선이 터지는 소리가 미치게 싫다. 그 소리가 12년 전 내 고등학교에서 일어난 총기 난사 사건을 너무 생생하게 떠올리게 하기 때문에. 두꺼운 고무로 된 풍선을 터뜨리는 것 같은. 물풍선이 아니라 아무것도 들어있지 않은 공기만이 가득한 풍선. 그저 갇혀있던 공기가 기다렸다는 듯 밀고 나와 팡 터지는 소리.

총알이 사람의 머리통을 통과하는 데 0.0005초가 걸린다고 한다. 0.0005초 만에 사람이 죽는다. 그 풍선 소리가 울릴 때마다 긴 시간을 살아왔던 사람이 0.0005초 만에 죽는다. 귀가 아릴 정도의 풍선 소리, 평화를 허락하지 않는다는 끔찍한 굉음. 그 소리가 너무 거대해서 마치 귀가 아닌 심장에서 울리는 것 같은.

사실 다시 일어나야겠다고 무작정 다짐한 시점에도 썩 괜찮은 상태는 아니었다. 그저 형식적이었던 치료는 긴 시간 동안 피폐했던 내 마음을 조금도 안아주질 못했다. 나뿐 아니라 생존자 모두에게 치료의 효과가 나타나지 않았다. 그날 살아남은 생존자는 14명이었지만 결국 그날의 피해를 견디지 못하고 스스로 별이 된 자들에 의해 생존자는 11명이 되었다. 내가 극복을 시도하고자 입시에 재도전했던 연도에 두 명, 그리고 그 전에 한 명. 테러란 그런 것이다. 감당하기 힘든 피해를 입었지만 그 책임은 누구에게도 물을 수 없고 그저 시간에 기대야만 하는 것. 평생일지도 모르는 긴 시간을.

난 힘들 때마다 피해자 명단을 보았다. 처음엔 죽은 아이들의 명단을 볼 때마다 위액이 나올 정도로 토를 했다. 그 후엔 몸이 식사를 거부해 거식증에 시달렸다. 이를 악물고 하루에 몇 번을 쓰러질 정도로 약한 몸을 이끌고도 절대 그 명단을 놓지 않았다. 난 그 명단 덕분에 다시 살아가야 한다는 생각을 했다. 찰나의 운으로 살아남아 그 아이들을 이용하여 살아남았다면, 이 목숨은 사라져서는 안 되는 거니까. 그날 내 몸을 가려준 차가 윘던 그들의 몸을 생각하며 난 다시 일어났다. 일단 밖으로 나가 무작정 운동을 시작했고 억지로 식사를 챙겼다. 괜찮은 척을 하며 살아야 괜찮아진 것 같다는 착각이라도 할 수 있을 것이다. 그 착각이 이어진다면 정말 괜찮아질 수 있지 않을까.

하지만 야속하게도 실보다 얇았던 내 희망은 예상치 못한 날에 또 망가지고 말았다. 겨우 입시를 치르고 지금껏 원하던 것과는 전혀 상관없는 분야를 전공하던 어느 날, 내 옆을 지나가던 어린아이의 풍선이 우연히 터진 날이었다. 난 그 소리 하나에 과호흡이 오고 그대로 실신해 응급실에 실려 갔다. 이젠 예고 없이 나타나는 절망에 억울해할 힘도 없었다. 그저 아무 생각이 들지 않았다.

그날 퇴원 수속을 마치고 나오는 길 벽에 있는 큰 그림 하나를 보았다. 커다란 열기구가 그려진 그림. 시간 가는 줄 모르고 그 그림을 빤히 바라보다가 자리에 주저앉았다. 내 의지와 다르게 또 숨이 막혀오고 심장이 요동쳤다. 이젠 이런 스스로가 지겨울 정도이다. 괜찮은 척하지만 하나도 괜찮지 않았구나. 노력하면 기적이라는 것이 나에게도 생길 줄 알았는데. 그 날을 떠올리게 하는 작은 조각 하나로 난 이렇게나 망가졌다. 비참한 기분이 걷잡을 수 없이 나를 잠식해갔다. 대체 내게 무슨 잘못이 있어서. 아니, 그 학교에 있던 생명 모두에게 어떠한 죄가 있어서.

그 열기구의 그림을 보고 하염없이 울며 이러한 생각을 했다. 어떻게 풍선 하나에 몸을 맡기고 하늘을 날 수 있을까. 언제 터질지 모르는 저 끔찍한 물건은 이렇게 내 평화를 갈기갈기 찢어두는데. 다른 사람이 본다면 그저 지나칠 밝은 분위기의 그림일 뿐인데 나에겐 너무 끔찍하다. 이젠 진저리가 난다. 제발 아무것도 모르는 일상으로 돌아가고만 싶다. 다시 태어나고 다시 죽는 시간까지 고통 속에서 썩어가야 하는 그들의 머리채를 잡고 묻고 싶다. 내가 왜 이렇게 힘들어야 하냐고. 내가 대체 무엇을 잘못했냐고. 그날 죽은 수많은 목숨들에게 죽음 하나로 사죄할 수 있을 것 같냐고. 하찮다는 말에도 다 담기지 않을 이유 때문에 왜 527명이 죽었어야 하냐고. 꼬일 대로 꼬인 그 심성을 왜 남들에게 풀었던 것이냐고.

난 이제 더 이상 풍선을 보고 아무런 두려움을 느끼고 싶지 않다. 아무 생각 없이 풍선을 터뜨리며 즐거워하던 열여섯 전의 나로 돌아가고 싶다. 그래서 난 언젠가 열기구를 타고 날아가고 싶다. 그럴 수만 있다면 이 세상 어떤 것도 두렵지 않을 것 같다. 작은 풍선조차 무서워 벌벌 떨었던 나날들을 땅에 버려두고 다신 돌아오지 않을 것 같이 하늘로 올라가고 싶다.

쇼핑백의
기적

금
소
니

그는 로스엔젤레스에서 업무 회의를 마치고 헬리콥터를 타고 다음 세미나 장소인 샌디에고로 가는 중이었다. 어바인 상공을 지나다가 큰 건물 위를 잠시 맴돌았다. 헬기에서 지상을 내려다 보니 세미나장으로 나가는 진입로가 1마일이 넘게 자동차로 꽉 막혀있었다.

"세미나에 오는 사람들이 늦겠는 걸..."

그가 탄 헬기가 하강하며 착륙하려는 곳에 수백명의 사람들이 경비원들에 의해 제지를 당하고 있었다. 방금 전에 보았던 교통 체증은 그의 세미나에 가려는 사람들 때문에 생긴 일이었다. 약 1,000명 정도 밖에 수용하지 못하는 강당에 5,000명의 군중이

모인 것이다. 헬기에서 강당으로 걸어가던 그는 수백명의 인파에 둘러싸였다. 강당 문을 열자 환호와 함께 박수가 터져나왔다. 그는 분위기에 감격해서 목이 메었고, 한동안 말을 잇지 못했다. 주변의 한사람, 한사람 눈을 맞추며 천천히 단상으로 올랐다.

'휴~' 숨을 고르며 환호하는 사람들의 얼굴을 쭉 둘러보았다. 자신이 그토록 꿈꿔온 삶이 지금 이루어지고 있다는 걸 새삼 깨닫는다. 그는 강연을 마치고 건물을 빠져나오며 문득 그 건물이 그가 불과 20년 전에 경비로 일했던 건물이라는 것을 알게 되었다.

당시 그는 오로지 어떻게 살아남을까만 걱정하던 유학생이었다.

"학생, 안 탈 거야?" 버스 앞에서 줄을 서 있다가 주머니에 단돈 1달러도 없다는 걸 깨닫고 버스에서 내렸다. 그는 떠나가는 버스를 뒤로한 채 운동화 끈을 다시 묶고 학교까지 뛰기 시작한다. 그렇게 매일 뛰기 시작했다. 수업이 끝나면 일을 하러 또 뛰었다. 땀범벅으로 하루를 버텼다. 그러다 아버지가 갑작스럽게 돌아가시고 빚으로 살던 아파트까지 넘어갔다.

'더 이상 바닥으로 내려갈 곳이 없다.'

그의 가족들은 이삿짐을 싸며 가족사진을 집어 들었다. 액자 위로 애벌레 한 마리가 느긋하게 지나간다. 멍하니 사진을 바라보고 있으니 엄마의 목소리가 들려왔다.

"아버지가 그립니?"

"이제 뭘 어떻게 해야 할지 모르겠어요."

그런 생각이 드는 건 당연하다며 액자 위의 애벌레를 툭 털어내며 엄마는 말했다.

"얘야, 대부분 애벌레는 자기가 죽었다고 생각하는 시기가 있단다. 자신의 인생이 끝났다고 생각하는거지. 그게 언제일 것 같아?"

"고치에 싸여 있을 때요?"

"그래. 애벌레가 싸인 고치를 열어보면 애벌레는 더 이상 거기에 없단다. 걸쭉하고 끈적끈적한 물질만 남아 있을 뿐이지. 사람들은 물론 애벌레도, 그것이 죽는 과정이라고 생각하지만 사실은 변신하고 있는 거야. 애벌레는 지금 상태에서 다른 상태로 가고 성장하는 거지. 그럼 애벌레는 곧 무엇으로 변할까?"

"나비요."

"그래 그렇다면 땅에 있는 애벌레들은 애벌레가 나비가 된 것을 알 수 있을까?"

"아뇨."

"애벌레가 고치를 뚫고 나오면 맨 처음에 무슨 행동을 할까?"

"높은 곳이니 날고자 날개짓을 하겠죠?"

"맞아 나비가 고치 밖으로 나오면 날개에 묻어 있는 액체는 햇볕에 마르고 마침내 하늘로 날아오른단다. 애벌레였을 때와는 비교할 수도 없이 아름답지. 색이 화려하고 자유롭게 어디든 갈 수 있지. 이제 애벌레는 더 자유로워졌을까? 아니면 덜 자유로워졌을까?"

"훨씬 더 자유로워졌어요."

날개가 있으니 삶을 훨씬 더 즐길 것 같았다. 고치이던 시절이 있어야 날 수 있는 시절도 온다는 걸 말하는 걸까? 아버지도 지금쯤 날개가 생겨 저 하늘을 훨훨 날아다니고 있을까.

그는 마음이 한결 가벼워졌다.

'분명 나도 훨훨 자유롭게 날 수 있는 때가 올 거야.'

생각만으로도 마음에 작은 파동이 느껴졌다. 정말 더 이상은 밑으로 내려갈 곳도 없이. 당장 오늘 먹을 것도 잘 곳도 없었다. 그렇게 낡은 지하 단칸방에 들어간 날을 잊을 수 없다. 가족들은 더 이상 살아갈 희망이 없어졌다. 아버지 따라 가버리려 했다.

그때 초인종 소리가 들렸다.

'띵동'

초인종 소리에 그가 문을 열자 택배 아저씨가 커다란 쇼핑백을 건넸고, 그 안에는 쌀과 김치, 떡 등 식료품이 가득했습니다. 얼마만의 쌀인지 그의 가족들은 식료품을 끌어안았다. 혹시나 잘못 배달된 건 아닐까 물어봤지만 그저 택배아저씨는

"모릅니다. 이 주소로 그저 배달 했을 뿐입니다."
라는 말만 남기고 황급히 자리를 떠났다.

한동안 먹을 것이 생긴 그는 다시 아르바이트를 시작하고 삶의 의욕을 불태웠다. 시간이 될 때마다 다양한 책들을 읽고 자신도 누군가에게 자신의 재능으로 도울 수 있는 날이 오기를 바랬다. '이젠 더 이상 앉아 있을 수만은 없어' 그는 정신적으로나 육체적으로 더 나은 존재가 되기 위해 애썼다. 원하는 삶을 성취하기 위해 그는 자신을 믿기로 했다. 그가 스스로를 믿기 시작하자 세상이 달라보였다. 다시 신발끈을 메고 달렸다. 땀범벅이 되고 다시 주저앉고 싶어도 그럴 수 없었다. 그렇게 그는 계속 달렸다.

"안녕하세요. 택배 왔습니다."
식료품이 가득 담긴 쇼핑백을 들고 그는 집을 나섰다.
집에서 가장 낡고 평범한 옷을 골라입고 운동화를 신고 모자를 꾹 눌러 쓴 채 쇼핑백을 가득 들고 집을 나선다.

Gift

이
소
민

방안에 퍼진 짙고 부드러운 꽃향기에 취해있던
그에게 누군가 질문했다.
설탕을 잔뜩 넣은 홍차를 마셨을 때,
혀가 아리고 정신이 아득할 정도로 달다면
그건 단순히 설탕을 많이 넣은 홍차라고 할 수 있을까?

그의 마지막 홍차는 혀가 아릴 정도로 달았다.
정신이 아득해질 정도로.

17XX년

남자아이 한 명이 태어났다. 순수 황족의 피를 이은 아이였기에, 평민들의 기대감은 최상이었다. 황제는 갓 태어난 그에게 왕관을 씌워주며 말했다. "네 앞길은 빛날 길밖에 남지 않았다는 뜻으로 네게 '리엔'이라는 이름을 하사하겠다." 모든 사람들은 자기를 위할 황태자가 태어났다는 소식에 찬사를 보냈다. 사람들의 기대감 속에 자란 그는 나라를 최우선으로 두는 황제가 되어있었다. 그를 해하려는 사람은 없었고, 그를 싫어하는 사람도 없었다. 그렇게 그는 제국의 태양으로 칭송받았다. 그런 그의 삶에 불쑥 끼어든 여인이 있었으니. 바로 '이리스'였다. 이리스는 평민이었지만 누구보다 열정적으로 일하고 가난한 이들에게 빵 한 조각을 베푸는, 그런 여인이었다. 리엔은 그 성격에 반해 사람들에게 들키지 않게 몰래 그녀를 찾아가곤 했다.

"테오, 오늘도 부탁할게." 그는 두꺼운 모자를 푹 눌러썼다. "그러다 들키면 큰일 나십니다. 이제라도 포기하시는 게…" "잘 부탁해!" 그는 처음으로 나라를 위한 행동이 아닌 자신을 위한 행동을 했다. 그런 소소한 일탈이 그에게는 큰 행복으로 다가왔다. '똑똑-.' 그가 빵집의 문을 두드렸다. 삐걱거리는 소리와 함께 여자가 나와 그를 반겼다.

"리엔, 어쩐 일이에요!" "잠깐 얼굴 보려고 들렸지. 또 중요하게 말할 것도 있어서~" 그의 얼굴에는 평소에 볼 수 없던 미소가 번졌다. "일단 들어와요, 별 건 없지만 마실 거라도 줄게요." 그는 빵집 안으로 들어가 의자에 앉았다. "홍차 괜찮죠?" "당연하지." 그녀가 홍차를 들고 와 그에게 건넸다. "중요하게 말할 게 뭐예요?" 그녀는 홍차 한 모금을 들이켰다. "이리스, 진지하게 말하는 거야. 나랑 같이 황성으로 들어가자. 내가 최고로 대접받게 해줄 게-" 그는 그녀의 두 손을 꼭 잡으며 말했다. "리엔, 진심으로 진지하게 생각하고 얘기하는 거예요?" 그녀는 생각에 잠겼다. "진심이야. 나와 가자, 이리스." 그가 견고한 눈빛으로 말하자 그녀의 마음이 흔들렸다. "알겠어요, 리엔." 그녀는 두 눈을 꼭 감고는 말했다. "내일 내가 데리러 올게." 그 말을 끝으로 그는 신난 듯 황성으로 달려갔다. "테오, 넌 반대하겠지만 난 이리스를 여기로 데려와야겠어." 그의 견고한 눈빛에 테오는 생각했다. '옆에서 뭐라고 해도 흔들릴 분이 아니시구나.' "그럼 그렇게 하세요. 단, 사람들의 여론은 저도 어떻게 해드릴 수는 없습니다."

그는 고마움을 전하고 기자들을 모아 결혼 소식을 알렸다. 사람들은 거세게 비난했지만, 그 누구도 행복을 맛본 그를 어떻게 할 수는 없었다. 그렇게 그들은 비난 속에서 결혼식을 올렸다. 누군가는 그에게 배신감을, 누군가는 그에게 응원을 표했다. 물론, 미래를 걱정하는 사람들이 많았다. "전하, 후손은 어떡하려고 하십니까? 평민 출신 아이를 황제 자리에 올릴 수는 없습니다." "이제 이 세상은 바뀔 필요가 있어." 그의 녹색 눈동자 속에 세상이 담겼다.

"리엔, 보고 싶었어요."

그녀는 그와 마주칠 때마다 보고 싶었다는 말을 전했다. "이리스, 부탁할 게 있어. 만약 네게 어떤 가문의 공작이나, 백작 등 정치에 관여하는 사람이 찾아온다면 무시해. '꼭'이야, 알겠지?" 그는 그녀에게 바닥에 피어있던 꽃잔디를 그녀의 귀에 꽂아주며 말했다. "알겠어요. 약속!" 그는 몰랐다. 이 순간이 그녀의 미소가 지어지는 마지막 순간이 될 거라는 것을.

"이리스!" 그가 그녀를 부르며 한걸음에 뛰어갔다.

"이렇게 뛰시면, 다른 분들이 뭐라고 하셔요."

"그건 중요하지 않다는 거 알잖아"

그는 그녀의 머리를 쓰다듬으며 말했다. 그런 그를 보며 다른 사람들은 비난을, 어떤 이는 사랑꾼이라며 찬사를 보냈다. 그녀는 살포시 미소를 지었다.

"리엔, 만약에 제가 죽기라도 하면 어쩌시려고 이러세요."

"어떤 방법이라도 다 써서 너를 사랑할 테니까 걱정하지 마." 그는 곰곰이 생각하다 대답했다. "사람을 떠나보내는 법도 아셔야 해요." 그녀는 미묘하게 흔들리는 눈으로 얘기했다. "무슨 일 있어? 왜 그런 걸 물어, 다른 사람은 신경 쓰지 않아도 된다고 했잖아." 그는 주변에 있는 하인들에게 저리 가라고 손짓했다. "그냥 한 번 물어본 거예요. 리엔이 있는데 무슨 일이 있겠어요?” 그녀는 그의 머리 위에 있던 왕관이 떨어지려고 하자, 바로 잡아주었다. “오늘 피곤해서 그런데, 먼저 들어가 볼게요. 미안해요, 리엔” “피곤하면 푹 쉬어. 사랑해 이리스.” 그녀는 그에게서 점점 멀어져갔다. 평소에는 흔들림 없이 기품 있게 걸어가는 그녀의 뒷모습이 왜인지 오늘은 위태로워 보였다. ‘기분 탓인지, 오늘따라 불안하네.’ 그는 혹시나 하는 마음을 뒤로하고, 밀린 서류들을 처리하러 사무실로 향했다.

- 3시간 후
“전하! 지금, 이리스 님께서…”

말이 채 끝나지도 않았지만, 그의 발은 이리스의 방으로 향했다. 그가 문을 벌컥 열자, 딱딱하게 굳어버린 그녀가 그를 반겨주었다. “이게, 무슨, 일…” 그의 눈동자가 빠르게 흔들렸다. “독을 먹은 것 같습니다, 전하.” 그의 눈에서는 슬픔의 눈물도, 당황스러움의 눈물도 아닌 그저 공허함만이 흘렀다.

“아냐, 꿈일 거야. 그렇지 이리스?” 그녀는 대답하지 않았다. “하인들의 말로는 이리스 님이 켈 공작과 만났다고 합니다. 그후 독초에 관해서 잘 아는 자를 찾았다고 합니다. 아마 공작이 이리스님께 전하께 누를 끼치지 말라고 하신 게 아닐지…”

“그 입 닫아, 테오.” 그의 마음속을 가득히 채웠던 행복이 그녀를 타고 사라졌다. 그 빈 자리를 헤집고 원망이 자리를 차지했다. “지금 당장 켈 공작을 잡아와. 이리스가 정말 죽었을 리 없어, 너도 알잖아. 내 곁에서 행복하던 이가 갑자기 왜…” 그는 차가워진 그녀를 껴안았다. 그의 머리 위에 바로 자리를 잡은 왕관이 그를 짓눌렀다. "아까, 이리스의 뒷모습이 불안해 보였어, 그때 잡았어야 했는데…, 내 잘못이야." 그는 죄책감에 사로잡혀 자신을 질책했지만, 변하는 건 없었다. 그저 점점 더 그의 몸이 더욱 깊은 늪에 빨려 들어갈 뿐 -.

*

"전하, 이리스 님이 떠나신 지 자그마치 1년이 지났습니다. 이제 이리스 님을 잊으실 때도 되지 않았습니까? 마침, 옆 나라에서 공주를 전하와 만나게 하고 싶다고 연락이 왔습니다. 출신도 평민이 아니고 황족 출신입니다. 전하의 외로움을 달래는 데에는 이보다 좋은 것이 없을 것입니다."

그는 공허한 눈으로 알아서 하라는 제스처를 취했다. 그의 보좌관은 고개를 까딱이곤, 답신을 작성하기 시작했다. 답신을 보내고 며칠 뒤, 제국은 옆 나라 공주가 제국에 방문했다는 소식으로 떠들썩해졌다. "전하, 손님이 나가면 오는 게 예의인 거 아시지 않습니까, 나가보시죠." "지금 일이 산더미인데 그게 눈에 들어올 것 같나? 그냥 먼저 나가보게." 그는 쌓인 서류들을 가리키며 말했다. "전하께서 수락하신 일입니다. 전하께서 나가시기 전까지는 한 발짝도 움직일 수 없습니다." 그는 보좌관의 대답에 인상을 찡그리곤 밖으로 향했다. 보좌관은 그를 그녀가 있는 곳으로 안내했다. 그는 그녀와 마주치자, 손으로 눈을 비볐

다. '내가 무엇을 보고 있는 거지…?' 그녀가 고개를 숙여 그에게 인사했다. "제국의 태양에게 인사드립니다.

루비에라고 합니다." 그의 시선이 그녀를 향하자, 그녀는 웃어 보였다. 그의 옥빛 눈동자가 천천히 그녀를 담기 시작했다. "이, 이리스? 어떻게 여길…" 그녀의 모습은 그가 애타게 찾던 이리스와 매우 흡사했다. 웃을 때 폭 들어가는 보조개부터, 잔잔한 물결 같은 말투까지.

"전하께서 현재 외로움을 느끼고 계신다고 익히 들었습니다. 제가 전하의 외로움을 조금이라도 달래고자, 이리 찾아뵙게 되었습니다." 그는 빠르게 고개를 끄덕였다. 그녀가 웃자, 그의 얼굴에도 웃음이 드리웠다. 그렇게 그와 그녀의 혼담은 누구보다 빠른 속도로 성사될 수 있었다. 단, 이리스와 그녀가 닮은 점은 한 가지 더 있었다. 평민 출신 소녀와 이방인 소녀. 그에게 사랑을 받았지만, 끝은 비극적일 것이라는 것도. 그가 왕관을 내려놓지 않는 이상 이루어질 수 없는 위치라는 것도 같았다.

혼담이 성사되자 그의 일은 다른 나라의 일까지 함께 처리하느라 수십 배로 불어났고, 그에 따라 그가 일하지 않는 시간도 점차 줄어들었다. 이로써 그녀는 혼자 하는 시간이 대부분이 되었다. 아니, 매번 혼자였다. 그가 시간이 날 때면, 그는 자신의 무거운 몸을 이끌고 휴식을 청하기에 바빴다. 이 이야기가 여기서 막을 내렸으면 좋겠지만, 삶은 순탄하게만 흘러가게 내버려두지 않았다. 루비에의 고향인 나라가 망하고, 그녀는 수많은 사람들에게 곱지 않은 시선을 받게 되었다.

"저 여자가 망한 나라에서 온 이방인이라서, 우리도 나쁜 기운을 받은 거야!" 조금이라도 불행이 다가오면, 모두가 그녀를 손가락질 하기 바빴다.

그녀는 계속해서 그에게 찾아갔지만, 그녀의 나라가 망한 탓에 일이 더 바빠진 그는 그녀에게 얼굴 한 번 비춰주지 않았다. 물론, 이들의 안위를 걱정하는 이도 있었다. "폐하, 오늘은 루비에님께 가보시는 게 어떠하겠습니까?" 그의 보좌관이 물었다. 그의 금빛 머릿결이 바람에 살랑살랑 흔들렸다. 그 바람의 끝에는 한가득 쌓인 서류들이 존재했지만. "이 상황을 보고도 그런 말이 나오나?" 그의 얼굴이 일그러졌다.

"… 그래도 사랑하는 여인이니, 얼굴 한 번쯤은 비추는 게 예의겠지. 루비에에게 내일 그녀가 자주 가던 가게에서 식사를 함께하고자 한다고 전해." 보좌관은 곧장 그녀의 방문 앞까지 가서 방문을 두드렸다. 아무 소리가 없자 익숙하면서도 불안한 기분이 든 그는 방문을 벌컥 열어젖혔다. " …보좌관님?" 그녀는 사람이라고 볼 수 없을 만큼 수척해져 있었다. "내일 전하께서 식사를 함께하자고 하십니다."

"그럴 리가, 리엔이요?" 그녀의 눈에는 일말의 희망조차 보이지 않았다. "하인들을 보낼 테니 내일 준비하고 나오십시오." 그 말을 끝으로 그는 방 밖으로 발걸음을 옮겼다. "드,드디어 리엔이 나를…" 그녀의 얼굴에 빛이 비쳤다. 그녀는 바로 하인들을 불러 내일 입을 옷과 장신구들을 준비하기 시작했다.

"리엔, 너무 오랜만이야. 바빠서 얼굴도 못 봤네." 그녀는 그의 얼굴을 어루만졌다. "응, 맞아. 보고 싶었어, 루비에" 오랜만에 사랑하는 이의 얼굴을 본 그의 얼굴에 미소가 번졌다. "자주 못 와서 미안. 일이 바빠져서…" "괜찮아, 이제라도 봐서 다행이지." 둘은 서로를 바라보며 말했다. 물론 그의 눈에는 그녀가 아닌 이리스가 담겼다. '휙-.'

그때, 그녀에게 작은 돌멩이들이 날아왔다. "우리 가게에서 당장 나가!" "우리 농사가 망한 이유는 다 저 여자 때문이야!" 사람들은 괴물을 보듯이 그녀를 바라보았다. " …난 괜찮아 리엔. 신경 쓰지 마." " …루비에, 우리 이만 갈까?" 그녀는 쓸쓸한 눈빛으로 자리에서 일어났다. "미안, 루비에." 그는 그녀를 마차에 태워 황실로 향했다. "앞으로 내가 자주 찾아갈게. 걱정하지 마." 그는 그녀를 방 침대에 눕혀주며 말했다. 그녀가 잠들자, 그는 조심스럽게 흔들리는 왕관을 부여잡고 몸을 방 밖으로 이끌었다.

"전하, 드릴 말씀이 있습니다." 보좌관은 그를 사무실로 이끌었다. "현재 전하에 대한 평판이 좋지 않다는 건 잘 아실 겁니다. 오늘도 보셨다시피 평민들 사이에서 망한 나라의 공주와 결혼하더니 전하께서도 불행해졌다는 등 전하를 비난하는 말들이 돌고 있습니다."

"그래서 어떻게 하라는 거지?" 그의 손이 떨렸다. "아시지 않습니까, 어차피 전하가 사랑하는 분은 이리스 님 아니십니까? 매번 루비에님을 보실 때마다 이리스 님을 비춰서 보고 있다는 걸 알고 있습니다. 그렇기에 저는 루비에님은 이제 그만 없어지셔도 괜찮다고 생각합니다. 이젠 전하께서도 어려서 별거 아닌 사람을 소중히 대하며 지내시던 시간은 지났습니다. 제국을 위해서라도 현실적으로 판단하셔야 합니다." 보좌관은 작은 유리병에 담긴 독초를 건네며 말했다. 익숙하리만치 익숙한 그 독초를. "가장 고통 없이 온몸에 퍼지는 독초입니다. 루비에님에게도 이리 고통스럽게 사시는 것보단 이편이 나을 것입니다. " 그는 생각에 잠겼다. 보좌관의 말에는 사실만이 담겨있었기에. "그래, 내가 사랑하는 건 이리스지. 나를 이렇게 만들어준 이 나라를 위해서라도…" 그는 보좌관이 건네는 유리병을 손으로 쥐었다.

"… 소수의 희생으로 다수가 행복해질 수 있다면, 그게 맞는 것이겠지." 그는 잠시 생각하다 말을 꺼냈다. 비로소 그의 흔들리던 왕관이 머리에 안착했다.

*

'달그락 -'

그녀는 그를 바라보며 짧게 컵을 들었다 놓았다. 그녀의 행동 하나하나가 마치 무슨 말이라도 꺼내보라는 듯해 보였다. 그들 사이에 짧게 정적이 흘렀다. 홍차가 점점 더 깊고 붉게 우려졌다. 그녀는 이 상황이 개의치 않아 보였지만, 그의 눈썹은 파르르 떨렸다. "오늘 하루는 좋았어?" "아, 딱히." 그녀는 그를 보며 살포시 웃어 보였다. "그냥 오전에 다른 영애들과 수다 떨며 먹은 쿠키가 무척이나 맛있었어. 당신도 그 자리에 있었다면 좋았을 텐데." 다른 사람들이 이 대화를 듣는다면 그저 가볍게 '부부의 담소' 정도로 생각할 수 있었을 것이다. 아니, 그렇게 생각했을 것이다. 그들은 누구보다 다정하고 차분한 말투로 대화를 이어 나갔지만, 실상은 달랐다. 그저 평범하고 소소한 대화로 보이는 가면을 쓰고 있는 언제 터질지 모르는 폭탄이었다. 그녀는 멋쩍은 웃음을 유지했지만, 그녀와 달리 그의 마음은 그렇지 못한 것처럼 보였다. "그래도 만나는 이들이 있어서 다행이네. 혼자보단 나으니까." 그는 홍차를 한 모금 마셨다. "거짓말인 거알잖아. 내가 이런 상황인데 나와 수다 떨고 싶은 멍청한 영애가 있다고 생각해?"

그녀의 대답을 끝으로 정적이 흘렀다. 계속해서 애매한 정적이 유지되고, 그는 더욱 심장을 옥죄었다. 그는 그녀에게 그저 최선을 다하고 싶었다. 그녀가 이리스와 닮았기에. "어쩔 수 없었다는 것 알잖아." "아냐, 괜찮아 리엔." 그는 그녀를 보며 말을 꺼내었다. "그거 말고는 없어?" " … 당신을 만나기 전에 예쁜 꽃을 봤어."

그녀는 변화 없는 표정으로 깔끔히 잘린 꽃 한 송이를, 툭 내려놓았다.

아름답게 물든 꽃잔디가 테이블에 잎을 떨궜다.

"루비에, 미안." "뭐가?"

전부 다.

"당신은 잘못한 거 없다는 거 알잖아." "그냥, 요즘 신경을 별로 못 써준 것 같아서."

그녀가 겪을 결말, 자신이 겪을 결말.

그는 전부 미치도록 미안해했다.

소수의 희생이 다수의 행복을 가져온다면 그게 과연 맞는 일일지 생각하며.

"뭘, 일이 많잖아."

너무 다정하기에 마음이 아려서.

"… 루비에, 사랑해." 그는 마지막으로 자신의 죄책감을 덜어보려 그녀에게 자신의 마음을 고했다. "거짓말."

"… 응?"

그녀는 마치 다 알고 있다는 듯 그를 보며 살포시 웃어 보였다. 왕관이 그의 몸을 짓눌렀다. 일어나지도 못할 만큼, 입을 열지도 못할 만큼.

"나 말고, 이리스한테 말하지 그래. 당신이 나를 온전한 나로 보지 않는다는 것 누구보다 잘 알고 있어. 그래도 이해해, 나라도 내가 당신 같은 상황이었으면 그랬을 거야."

그는 그녀를 사랑하는 것이 아니라, 그녀의 얼굴에 비친 허상을 사랑한다는 것을 자신도 알고 있었다. 그는 더 이상 꺼낼 수 있는 말이 없었다. 그 이유가 그녀에 대한 죄책감인지, 비춰진 허상이 그리워서인지는 그만이 알고 있을 것이다. 그는 그저 멋쩍게 웃어 보일 뿐이었다.

"안 마셔? 차 다 식겠다." "아, 그게 -"
"계속 당신만 기다렸는데, 당신은 별로 마시고 싶지 않나 봐."
울렁이는 차가 그녀의 입속으로 흘러 들어갔다.
"잠깐 - !"
그녀의 가녀린 팔을 잡아채 차가 넘어가려는 것을 막았다. "웃, 아파 놓아줘." 너무 세게 잡았던 탓인지, 그녀의 팔에 새빨간 손자국이 남았다.
"아, 미안 차가 식었어. 다른 걸로 다시 갖다줄게." 그는 곧장 자리에서 일어나 그녀의 찻잔을 쥐었다. 그의 견고한 왕관이 흔들렸다.
"아직은 괜찮아." "그래도 따듯한 차로 바꿔줄게." 계속해서 그녀를 설득하려 했지만,
그녀는 자신의 차를 끝내 마시려고 했다. "리엔, 괜찮다니까" "루비에! 마시지 마, 제발"
그는 간절하게 부탁했지만, 그녀는 그저 미소 지었다.

아, 그녀는 다 알고 있었구나.
그의 머릿속에 짧게 하나의 생각이 스쳐 갔다.

'꿀꺽 -'

그녀의 가녀린 목을 타고 붉은 홍차가 넘어갔다. 머지않아 그녀의 몸이 마치 종잇장처럼 툭 하고 소파 위로 쓰러졌다. 그녀의 몸이 점점 차가워졌다. 그 모습을 보고 그는 미친 듯이 웃어댔다. 아니, 울었던가? 그는 처음부터 알고 있었을 것이다. 눈물이 날 정도로 똑같았고, 웃음이 날 정도로 닮았기에 자신이 허상만을 사랑한다고 착각했었다. 있을 수 없다고 생각한 일인데도 잠시 찾아온 행복에 흐려진 눈을 감고 이리스만을 생각하며 그녀에게 사랑을 고했다. 정작 자신은 루비에를 사랑했음에도 -. 그는 자신에게 잠시 찾아온 행복을 잡지 못했다. 이는 불행과 후회만을 낳을 뿐이었다.

그는 무엇을 위해서 그녀를 죽음에 빠트렸는가.

"루비에.." 그는 떨리는 손을 부여잡으며 그녀의 차가워진 볼을 쓰다듬었다.

"네가 너무 어리석어서."

네가 너무 아름다워서. 자신에게 씌워진 왕관의 무게에 짓눌려 그녀의 설탕이 가득한 차에 자신의 욕망을 넣었다. 그녀의 차는 혀가 아릴 만큼 달았을 것이며 정신이 아득해질 만큼 아팠을 것이다. "아, 안 아픈 독은 세상 어디에도 없을 텐데. 아니, 내가 그녀에게 독을 먹였다는 사실이 더욱 아팠을 텐데. 내가 무, 무슨 짓을 -."

그가 그녀를 위해 흘린 눈물이 그의 입속으로 타고 들어가고,

그 자신을 위해 흘린 눈물이 볼을 타고 흘러내렸다. "결국 나는 허울뿐인 왕이 되겠구나." 그가 사랑하는 사람도, 그를 사랑하는 사람도. 그 무엇도 존재하지 않는, 아무것도 존재하지 않는.

"제일 어리석은 건 그 누구도 아닌 바로 나였구나." 그는 서글프게 웃어 보였다. 왕관에 짓눌려 무거운 손을 이끌어 그녀의 얼굴을 부여잡았다. 그 후 그녀의 입에 짧은 입맞춤을 건넸다. 딱딱한 몸이 그를 거부하려 들어도, 그는 자신의 모든 것을 가져가도 좋으니, 그녀가 자신의 옆에 있어 주길 빌고, 또 빌 뿐이었다. 그의 머리에서 견고하게 자리를 지키고 있던 왕관이 바닥으로 툭, 떨어졌다. "미, 미안해 루비에 내가 다 잘못했어. 다시 돌아가자, 응?" 그녀의 몸은 더 딱딱하게 굳어갔다. "나도 데려가 주면 안 될까, 루비에.."

그는 그녀의 빈자리를 허탈하게 휘저었다.

"내가 당신을 선택하고 나를 옥죄던 왕관을 벗어 던질걸, 이제 와서 후회해 봤자…."

그가 아무리 쓸모없는 눈물을 흘려도 그녀는 깊이 잠들 것이며, 후회 섞은 웃음을 흘려도 그녀는 미소 한번 못 지을 것이다. 그렇게 어리석은 여자와 더 어리석은 남자는 서로를 끌어안고, 깊은 어둠의 늪에 스스로 걸어 들어갔다.

수 면 위 를 나 는 별

조
은
재

당신에게 이렇게 말을 건네는 건 정말 오랜만이네요.

처음이라고 생각했는데 뿌연 기억 속에 당신과 편지를 나눴던 시절이 생각 났습니다. 당신이 군대를 갔을 때였죠. 입대 당일 날 미용실에서 당신이 머리를 밀었던 잔상도 언뜻 스치네요. 면회를 간 적은 없지만 그 시절 당신은 제게 처음으로 편지를 건넸죠. 반가움과 낯선 마음으로 당신의 장문의 필체를 보면서 처음 든 생각은 안타까움이었던 것 같습니다. 당신은 제게 그리 다정한 기억이 아니었음에도 편지에는 당신의 외로움, 그리움, 이전과 다른 마음의 변화 같은 것이 글자 사이사이에서 미세하게 꿈틀거렸죠. 저도 당신에게 답장을 하며 위로와 격려, 응원을 보냈던 것 같네요. 당신의 편지 면적만큼 저도 서운하지 않게 글자를 생각해냈습니다. 첫 편지 후로 당신의 편지는 꾸준히 간간이 도착했습니다. 당신은 저의 말을 기다리는 것 같기도 했고 자신의 말을 하고 싶었던 것 같기도 했고 뭐라도 해야만 했던 것도 같았습니다. 아마 그때가 처음이자 마지막으로 온전히 서로에게 다정한 마음을 건넸던 시간 같네요. 이런 낯선 말투도 아니었죠.

  제대 후에는 늘 그랬듯 대면대면 드문드문 당신과 스치고 이야기를 하지 않았죠. 친해지고 싶어도 이미 그 시기를 놓쳤던 것도 있죠. 우리는 파도가 끊이지 않는 환경 속에 서로 생존하기 바빴으니까요. 각자의 길에 들어서고는 더욱 접점이 없었습니다. 멀어진 거리 한 가운데 시냇물은 시간을 파고들어 먼 강물이 되었죠. 가끔 헛헛하면 뒤돌아 강물을 바라보기도 했습니다. 그 건너편 당신이 밟고 있는 땅도 함께 시선에 들어왔죠. 지치지도 않고 자신의 땅을 일구고 닦아내며 열매를 수확하는 당신을 보며 부럽기도 했고 성장뿐인 인생이라고 생각했죠. 사람들 속에서 항상 주목받으며 이미 많은 걸 가져놓고 왜 저렇게 더 가지려고 할까. 정말 욕심쟁이라고 생각했던 적도 있습니다. 놀부와 흥부처럼 저와는 대비되는 인생이었죠. 여전히 노곤한 땅을 밟고 있는 시든 저의 발은 질투와 한탄으로 일그러져 있었습니다. 당신을 만나면 보잘것 없는 제가 더욱 돋보여서 빈약한 저를 바라보기 힘들었던 것 같네요. 그 높은 곳에서 그렇게 저를 항상, 여전히 내려보는 당신의 시선이 못마땅했어요. 같은 배에서 나왔는데 어찌 그렇게 당신은 빛날 수 있었던 걸까요. 더 높게 멀어질수록 반짝임이 더해지는 별 같았어요.

지금은 마음을 먹지 않고서는 서로의 얼굴을 보기 힘듭니다. 연락조차 면접서류를 넣는 다짐이 아니고서는 손을 떼기 어려워졌습니다. 몇 년에 한 번씩 연락을 받게 되면 무슨일인가 불안감에 긴장부터 하죠. 그래서 그랬나 봅니다. 우린 어머니의 죽음으로 다시 만났죠. 우리가 연락하거나 만나지 않는 건 큰일이 없다는 반증도 됩니다.

제가 당신에게 연락을 했던 것도 어머니를 도와 달라는 구조 전화였죠. 하지만 당신은 고민도 없이 어머니 일이라면 도울 수 없다는 냉담한 답변을 줬어요. 사실 어머니를 도와달라는 건 저를 도와달라는 거였습니다. 혼자 감당하기 버거우니 저를 좀 살려달라는 거였습니다. 하지만 당신은 철저하게 외면했죠. 어머니의 간병으로 고군분투하며 살려는 행위와 죽음에 대한 고민이 힘겨루기를 했습니다. 저는 어머니와 어떻게 죽을지 고민하는 단계에 이르렀죠. 동시에 이런 마음을 먹게 한 현실과 당신에 대한 분노로 정신을 차리기 힘들었습니다. 어머니의 부고로 만난 당신을 보자마자 욕을 하고 분통을 터트렸습니다. 당신도 제게 지지 않을 만큼 화냈죠. 그 모습에 더 분개했습니다. 그 후 더욱 철저히 인연을 끊어버렸죠.

6년만에 당신에게 연락을 했습니다. 사람은 생존하기 위해 좋은 기억만 남긴다고 합니다. 저도 그렇게 망각의 힘을 빌린 것 같네요. 당신이 그립기도 하고 당신도 그럴거라 생각했습니다. 어머니의 여섯번째 제사를 핑계로 연락을 했죠. 당신이 선뜻 오겠다는 말을 할 줄은 몰랐습니다. 반갑고 설레기까지 했습니다. 우리가 서로에게 분노할 일은 이미 세월 너머에 묻혔으니까요. 너무 오랜만에 만나서 인지 낯설고 떨렸어요. 군대에서 나왔을 때보다 6년 전 보다 지금은 10년정도 흐른것 처럼 변한 당신의 얼굴을 마주했습니다. 그래도 까맣고 마른게 서로 똑 닮았죠. 당신의 까만 얼굴은 노란빛과 마블링 된 듯 보였고 배도 여느 아저씨들처럼 볼록 나와있었죠. 6년이 짧진 않았나 봅니다.

대면대면하며 어머니의 제사를 치르고 당신은 볼일이 끝난 듯 금새 떠났습니다. 저는 집에 잘 들어가라는 문자를 보냈고 이전과 달라질 우리의 관계에 대한 막연한 기대감에 부풀어 있었죠.

그 후에 당신이 가끔 훌쩍이며 전화를 했죠. 조금은 당황스럽고 불길했습니다. 당신은 어머니에 대한 마음이 저와 다르다고 뭔가 할말이 있는 것 처럼 의문을 남겼죠. 무엇이 다를까요. 제 오랜 기억에 당신은 어머니를 참 좋아하지 않았나요. 어릴 때도 집에 어머니가 없으면 그렇게 우렁차게 울지 않았나요. 저는 그런 애착조차 없어 당신을 이해 못하고 멀뚱히 보기만 했었죠.

한번은 여름휴가로 계곡에 가족 모두가 놀러 갔던 날이었죠. 한참을 놀다가 어른들은 저녁 준비를 위해 분주했고 열심히 뛰

놀던 또래 아이들과 저희는 흩어져 각자의 물놀이를 즐기고 있었죠. 저의 친구는 당신뿐이었고 무리 속에서 의지하던 사람도 항상 당신뿐이었습니다. 당신은 놀이 후 소강상태가 지루했는지 몸을 움직였습니다.

"오빠 어디가?"

"저 위에 미끄럼타기 좋은 곳이 있어."

계곡 물에 허리가 잠기는 줄도 모르고 저는 당신의 뒷모습을 놓칠세라 힘차게 물살을 이겨내며 따라갔습니다. 그곳엔 정말 아담하지만 우리 키만한 높이의 계곡 물줄기가 작은 폭포수처럼 시원하게 내려치고 있었죠.

"우아!"

"봐봐 내 말 맞지?"

의기양양하게 그곳을 가리키며 뿌듯해했습니다.

"근데 미끄럼틀을 어떻게 타게?"

"여기 잡고 올라가면 돼."

계곡 옆구리를 따라 위로 향하는 돌 무덤으로 이동하더니 어느새 작은 물줄기 머리 위에서 떡하니 당신이 나타났습니다.

"재밌겠다. 나도 할래!"

"오빠가 먼저 타는 거 봐봐."

"알았어."

저는 가만히 튜브에 몸을 맡기고 신나보이는 당신을 기대감에 찬 눈으로 바라봤죠.

"자, 간다!"

조금은 겁먹은 듯한 표정이 잠시 스쳤습니다. 이내 눈을 꼭 감고 몸을 던지자 등 뒤로 폭죽 같은 물방울이 마구 튀어 오르고 그 물세례에 저는 허공에 뜬 당신의 모습을 놓치고 말았습니다. -풍덩- 저의 몸은 그 폭발음 방향으로 물컹하며 빨려 들어 갔습니다. 눈앞이 보이진 않았지만 제 손과 발이 당신의 팔다리에 부딪히고, 우리가 엉겨 허우적거리고 있다는 걸 알았죠. 당신의 발에 몇 번 차이며 아래로 꺼져 가는 걸 느낀 게 마지막 기억이었습니다.

눈을 떴을 땐 포근한 이불 위였습니다. 저녁 준비를 하며 불길한 고요함에 쌓여있던 부모님은 산책하듯 우리를 계속 찾고 있었다고 했죠. 다행히 오빠의 아우성에 엄마는 신발이 벗겨진 줄도 모르고 발에 피투성이가 되도록 달려 그곳을 찾아냈던 거죠. 어머니는 물속에서 허우적거리는 당신의 손을 잡아 끌었고 아버지는 미역처럼 늘어진 저를 홀로 버둥거리는 튜브에 떠올려냈습니다.

병원을 인지하며 고개를 돌리자 잠든 당신의 이마를 쓸어주는 어머니의 뒷모습을 봤습니다. 저는 말없이 그 모습을 한동안 바라봤지만 제 쪽으로는 눈길 한번 주지 않았죠. 익숙한 뒷모습이었습니다. 당신에 대한 걱정이 얼굴을 보지 않아도 느껴졌습니다. 슬며시 당신이 눈을 뜨고 동공을 굴리더니 어머니의 얼굴을 다 보기도 전에 울음을 터트렸죠.

"괜찮아 괜찮아, 엄마 여기 있어."

"엄마-"

"많이 놀랐지. 괜찮아."

얼굴이 뭉개지도록 울어대는 당신을 연신 쓰다듬으며 어머니는 안도의 눈물을 흘렸죠. 그 건너편 데스크에 있던 아버지도 저와 눈을 마주치고 제가 와주었지만 어머니는 당신을 달래기 바빴죠.

고학년이 되어서도 당신은 어머니와 함께 누워 가슴을 손에 쥐고 평온한 표정으로 안겨 있었습니다. 저는 당신처럼 사랑을 요구하는 방법을 몰랐죠. 어른들의 편의대로 혼자여도 괜찮은 아이로 덩그러니 자라며 당신을 부러워하고 시기했어요.

그런 순간도 짧게 지나가 버리고 어머니는 삶의 풍파에 지쳐 어느 순간부터 모든 걸 놓으셨죠. 마음에 병을 안고 고통스러워했습니다. 그게 당신에 대한 폭력으로 몇차례 발현되어 상처가 된 이야기를 했습니다. 좋아하고 원했던 만큼 그 상처가 깊어 보였어요. 하지만 그게 고난에 빠진 저와 어머니를 돕지 않은 이유가 되는 걸 용납할 수 없었죠.

당신의 상처를 옹호해주지 않는 냉담한 저의 반응에 또다시 엄마가 없다고 우는 10살 아이처럼 감정을 폭발했죠. 당신의 갈망 같은 원망이 범벅된 언어들로 망자가 된 어머니를 욕보이면 후련한가요. 저는 그 정도의 분노도 애정도 없어요. 그저 어머니를 불쌍한 여자로 인지하고 혼자 버텼거든요. 그렇게 서로 할

퀴는 통화가 되어버려 또 한탄스러웠습니다. 그러려고 서로에게
연락한 게 아닌 걸 알면서 말이죠.

당신의 마구잡이 분노에 물에 빠진 그날처럼 잠식돼 가는 저
를 애써 잡아내고 있었습니다. 도망가고 싶었던 전화를 움켜쥐
고 있던 이유는 통화 초반에 당신이 했던 말 때문이었죠.

10년 정도 남았다고 했죠. 간경화 때문에 그렇게 낯설었던 당
신 모습이 납득됐죠. 당신은 울면서 말했지만 저는 담담했습니
다. 미지근하고 뻐근한 마음이었어요. 우리가 그런 세월을 살아
온 걸 어떻게 하겠어요. 통화를 애써 마무리하고 두통과 위염으
로 일주일을 시달렸죠. 요즘은 뜬금없이 쏟아지는 눈물을 닦아
내고 또 일하기를 반복하네요. 어머니가 아팠을 때처럼 말이죠.

당신은 어릴 때부터 애교 많고 모두에게 사랑받는 사람이었습
니다. 눈에 띄는 외모에 착실하고 똑똑하기까지 해서 집안의 자
랑이었죠. 저는 당신의 태양 뒤 밤에 숨죽여 그 삶을 선망했죠.
너무 밝아서 발견하지 못했던 당신의 결핍들이 이제는 희미해진
빛 사이사이로 보이네요.

그 구멍을 메우느라 쉼 없이 애썼군요. 그동안 사랑받기 위해 노
력했던 시간들에게 보상받았나요. 당신을 둘러싼 많은 사람들이 보
답해 주었나요. 그랬으리라 믿을게요. 이제 아무 갈증 없이 만족스

럽게 채워졌다고 믿을게요.

　누워있는 오빠의 얼굴을 보니 어머니에게 안겨 울던 10살 아이
가 떠오르네요.
　어머니의 손길이 못내 그리워 서둘러 가는군요. 괜찮다고 읊
조리는 저의 음성이 작은 위안이 되기를 바라요. 애쓰지 않아도
사랑해 줄 어머니 품에서 편히 쉬기를 바라요.

꿩

청미
오정애

은혜는 전남 영광군 대마면 송죽리 연동에서 태어나서 자랐다. 학창 시절을 보냈던 고향이다. 은혜는 다섯, 여섯 살 때 어머니를 따라 동네 우물에 가게 되었다. 집집마다 수도가 없었던 시절이다. 그곳은 마을 공동 우물이라 모두가 이용하는 곳이었다.

어머니는 쌀을 씻으면서 들고 있던 바가지의 물을 나를 향해 흩뿌렸다.

"저렇게 바보같이 생긴 것을, 나중에 누가 데려갈까 모르겠다."

어머니는 동네 오빠인 재시 엄마께 말했다. 은혜는 우물가에서 두 분을 향해 서 있었다. 그때 재시 엄마는 "왜, 어디가 어때

서"라고 말하며 내 표정을 살폈다. 항상 엄마를 따라다니며 말도 없이 조용했던 내가 엄마 눈에는 바보로 보였던 모양이다. 그 당시는 내가 너무 어려서 그 말뜻을 잘 몰랐다.

은혜는 세월이 흐른 뒤에도 잊히지 않는 어머니의 말이 참 야속하다.

어머니는 여동생을 낳았다. 여섯, 일곱 살 때 방에서 잠자고 있는 갓난아이를 보라고 하시며 어머니는 쌀을 씻으러 우물터로 가셨다. 기다리다 보니 엄마 생각이 났다. 아이는 잠자는데 별일이야 있겠나 싶어 어머니가 있는 곳으로 갔다. 어머니를 뒤따라 집으로 와 보니 아이는 부엌 아궁이 입구에 누워 자고 있었고, 내가 부엌문에 이르러 아이 얼굴을 보자마자 그때 서럽게 "응애, 응애" 울었다. 움직이지 못하는 갓난 얘가 어찌 거기로 가 있었을까? 누가 거기에 놓은 걸까? 저녁 지을 시간이라 아궁이에는 다행히 불씨는 없었다. 지금도 나에게는 그 일이 궁금한 수수께끼로 남았다.

어머니는 "샘에 오지 말고 아기 잘 보고 있으라니까." 샘에 왔다며 나를 야단치셨다. 죄인처럼 아무 말도 하지 못하고 미닫이 부엌 대문 옆에서 우는 아이를 안고 놀란 듯한 눈빛의 어머니를 바라보았다. 어머니는 아이에게 젖을 먹이자, 울음이 뚝 멈추었다. 다행히 아기는 다친 곳이 한 군데도 없었다.

국민학교 시절 어느 날이다. 미례네 할머니가 돌아가셨다. 미례 어머니는 내 어머니와 사촌이라 내게는 이모다.

미례 할머니가 돌아가신 날, 어머니는 미례네 집 울타리 출입문에 정화수를 떠 놓고 "알고, 알고" 하며 곡을 했다.

어린 나이에 나는 어머니가 왜 저기서 저러고 있을까? 이해를 못 했으나, 미례 할머니를 어머니 같이 따르고, 미례 어머니와 사촌 동생으로서 내 어머니를 이뻐하니, 그랬나 싶다. 그때도 은혜는 어머니 옆에 서서 지켜보고 있었다. 어머니는 한참 동안 곡을 하더니 흘깃 곁눈으로 나를 쳐다보고는 "저쪽으로 가" 앙칼지게 말한 후 다시 곡을 했다.

나는 어머니 옆을 지나서, 좀 떨어진 곳에서 어머니의 등 뒤에 서서 바라보았다.

그때 당시 나는 어머니에게 귀찮은 존재였을까?

아니면, 초상집 출입문에 지푸라기를 깔아 저승사자 밥이 놓인 그곳에서 곡하는 어머니가 제 자식에게 무슨 해가 될까 염려되어서 그랬을까?

어머니는 딸만 계속 낳았다. 친할머니는 어머니가 딸을 낳았다고 구박했다고 한다. 어머니는 마음에 담아 둔 설움을 내가 중학교 다닐 때 "은혜야, 니 할머니가 밉다고 때리면, 아무것도 모르는 니 아빠도 같이 엄마를 때렸단다." 할머니가 어머니를 구박하다 때리면, 아버지도 어머니를 구박하고 같이 때렸다고 어머니가 말했다.

셋째 딸로 태어났지만, 은혜는 친할머니에 대한 기억은 하나도 없다. 내가 태어나기도 전에 돌아가셨는지 나는 알 수는 없다. 어느 날 남동생이 태어났다. 어머니는 내가 터를 잘 팔아서 아들 낳았다고 예쁘다고 하셨다. "동생 외롭지 않게 네가 아들로 태어났으면 얼마나 좋았겠나."며 아쉬워했다.

그런데도 여동생이 줄줄이 태어났다.

은혜가 국민학생 때 겨울방학 때다. 동네 뒷산에 쌓인 눈을 밟으며 구경을 나갔다. 뒷산에는 겨울 꿩을 잡기 위해 둥글고 작은 붉은 열매에 약을 넣는다. 나는 그렇게 해서 꿩을 잡는 재시를 보았다. 그곳에는 몇 명의 동네 아이들도 모여 있었다.

"나 꿩 잡았다." 재시는 꿩을 잡았다며 오른손에 암컷 꿩을 높이 치켜들고, 100미터쯤 거리에서 우리를 향해 자랑을 했다.

아버지가 뒷산 곁 밭에서 쓰러진 꿩을 줘워 온 적이 있다. 약 넣은 열매를 먹고 날아가다 초가집 가까이에 떨어진 꿩. 어머니는 그러한 꿩으로 꿩 탕을 잘 끓였다. 그 시절에 꿩고기를 먹은 내 기억은 세 번 정도이다.

어머니가 무 넣고 끓인 시원한 꿩 국이 그립다고 은혜는 하늘을 올려다 보았다. 그때처럼 화창한 날씨에 잠자리 떼 줄지어 하늘하늘 춤추며 구름이 몽실몽실 웃고 있었다.

그녀는 국민학교 저학년 때에 삼채라는 오빠를 따라 재시 집에 놀러 간 기억이 있다. 삼채는 앞가슴이 혹처럼 볼록 튀어나왔다. 재시와 삼채는 둘이 친구이다.

삼채 오빠를 따라간 그 방안에 앉아만 있었다. 삼채와 재시 오빠도 서로 이야기는 없고 몇 시간 동안 앉아 있었던 기억이다.

집에 같이 가려고 기다렸으나 저녁이다. 학교에서 돌아온 재시 동생 영숙 언니가 재시 오빠의 방문을 열고 "은혜야, 이리와 언니랑 같이 자자" 말했으나 삼채 오빠가 곧 집에 갈까, 같이 가려고 가만히 앉아 있었다. 그리고 영숙 언니는 삼채와 재시를 번갈아 쳐다봤다. 영숙 언니 눈초리는 그들을 보며 '헛튼짓 하지 말라'는 표정을 짓고 방문을 닫았다.

지금 생각하니, 나는 참 순수하고 순진하기 짝이 없었다. 삼채 오빠가 집에 가면 나도 같이 집에 가려고 기다렸다. 집에 빨리 가기를 기다렸지만 나는 졸려서 그대로 잠이 들었다. 이불도 없이.

아침에 일어나 보니, 옆으로 누워 새우잠을 잤던 내 모습 그대로 깨어났다. 방안에 불도 그대로 켜져 있었고 삼채와 재시는 방문 위쪽에 둘이 나란히 앉아 나를 지키듯이 쳐다보고 있었다. 아침에 깨어난 그때, 두 사람의 표정이 내 기억 속에 남아 있다.

재시는 흠 없는 아주 순수한 눈빛으로, 한 놈은 곧 잡아 먹을 듯한 이글이글한 늑대의 눈빛이지만, 아무 일도 일어나지 않았다.

아침에 논이 있는 공동 우물곁을 지나 삼채 오빠와 나는 Y자의 갈림길에서 각자의 집으로 돌아왔다. 어머니에게 삼채 오빠 따라서 재시네 집에 갔다가 거기서 잤다고 말했다.

그 이후로는 삼채 오빠를 따라 재시네 집에 가지 않았다.

삼채와 재시는 논둑 방죽에 자주 앉아 있었다. 그들은 그곳에서 개구리를 구워서 먹고, 뱀을 잡아서 구워 먹곤 했는데, 그걸 볼 때면 끔찍하고 징그럽단 생각이 들었다. 어릴 때였지만 성장하면서 그때 생각이 스쳐 부끄러운 마음에 빠른 걸음으로 지나갔다.

은혜가 서울서 직장생활을 할 때였다. 시골에 왔다가 동네 사람들과 교회로 저녁 예배를 갔다. 어머니는 농사일을 하느라고 집에 아직 오지 않았다. 학생 때 내가 다녔던 교회였으나 목사님은 다른 분이셨다. 예배를 드리고 집으로 오는 길에 삼채가 자꾸 나를 쳐다봤다. 관심 있는 눈빛으로 반짝거렸다. 삼채 어머니는 노총각 아들이 그러는 걸 모르는 체 했다. 나는 삼채 오빠에게 전혀 관심이 없었는데. 아무런 사이도 아닌데.

어머니께 그 말을 했더니 노발대발 기분 나빠하며 흥분을 했다.

"삼채 지 같은 게 감히 우리 은혜를 넘봐."

"지주제에 지는 국민학교도 안 나왔으면서."

삼채 오빠는 그의 아버지가 한자를 가르쳐 줘서 한자도 알고 똑똑하긴 했다. 곱사처럼 모양새가 그래서 그렇지 똑똑했다.

나중에 들은 소문에 삼채 오빠는 필리핀 여자와 결혼하고 딸 둘을 낳았다. 애 엄마는 집을 나갔다. 삼채는 애들을 키우며 어머니와 염소를 키우며 산다는 소문이 돌았다.

그녀는 결혼하고 자주 여름휴가를 시골 고향으로 갔다. 그때는 제법 우리 아이들이 성장했을 무렵이다.

"재시가 죽으려고 농약을 먹었는디, 학교에서 온 재시 아들이 119에 전화해서 다 죽어간 사람을 살렸단다." 친정엄마가 말했다.

"아, 글쎄, 재시 딸이 초등학생인데, 동네 유부남이 그 애를 임신 시켰단다. 그걸 알고 재시가 딸 때문에 농약을 먹고 죽으려고 했단다. 병원에 실려 가서 위세척하고 아들 때문에 살았낫단다."

학교 갔다 온 재시 아들이 그걸 보고 전화했고 119에서 출동해 살았다. 재시의 생명은 더 살라는 신의 은총이 있었다.

그녀는 그 마을에 그러한 일이 일어나다니 그 아이가 충격적 트라우마로 마음 한구석에 자리하고 살아갈 것을 생각하니 갑자기 세상이 미워진다.

여름이면 친정집으로 우리 가족은 휴가를 갔다. 친정으로 갔던 어느 해 휴가철이었다. 어머니는 뉴스 속보를 우리에게 말했다. 재시가 교통사고로 죽었다고 했다. 경운기를 운전하고 가는데 버스 충돌을 했다는 것이다.

"저 멀리까지 재시의 목이 나가떨어져 버렸단다."

"내가 재시랑 품앗이도 같이 하고, 둘이 재시 논에서 낫으로 벼를 베고 점심도 같이 먹었는디, 글쎄 그렇게 죽었다."라며 안타까워했다.

그녀는 젊은 나이에 죽은 재시 오빠와 뒷산에서 꿩을 찾아 누비던 순수한 모습이 생각났다.

뒷산 논밭이 있는 길목에 남동생하고 나를 보며 "나 꿩 잡았다."라고 자랑하며 꿩 손을 하늘 높이 치켜들고 외치는 제시의 말이 울려 퍼진다.

"어디, 어디." 잡은 꿩을 구경하려고 뛰어가던 순수한 어린 소녀도 스친다. 은혜는 논두렁 길을 뛰어가다가 우거진 풀 사이로 뱀이 나올까 헤쳐갈 걱정에 되돌아오긴 했지만.

그녀는 어릴 적 이웃집을 떠 올린다. 재시네 집에는 텔레비전이 있었다. 논, 밭이 많은 부잣집이다. 재시네 하고 그 옆집 낙영댁네는 텔레비전이 있었다. 가끔 저녁 늦게까지 낙영댁의 시아버지가 거처하는 안방과 마루에 앉아 연속극을 보고 온 기억이 생생하다.

낙영댁의 시어머니가 돌아가셨을 때, 어머니를 따라가서 보았다. 안채를 바라보는 문간방에 차려진 장례식은, 향이 피워져 있는 그곳에 그의 영정사진이 밝게 웃고 있었다.

내가 중학생이었을 때 낙영댁의 시아버지는 학교에서 작은 방죽 길을 걸어 올 적마다 어김없이 그 집 울타리 너머로 밖을 내다보며 서 계셨다.

홀로 적적한 마음을 달래며 오가는 사람들을 친구삼아 옛 기억을 기다리는가 보다.

"어릴 적에는 그 집에서 텔레비전을 보았던 시절이 있었지."

비어있는 그 집 울타리는 누구도 없이 쓸쓸하다.

당시 마을 아이들은 그랬다. 그때 텔레비전이 없는 가난한 시절 우리 동네에는 두 집만이 텔레비전이 있을 때였다.

서울로 돈을 벌려 간 둘째 언니가 네 개의 다리에 문이 달린 텔레비전을 사 주었다. 그 후로는 동네 아이들이 우리 집으로 텔레비전을 보러 왔다. 그렇게 한 집 두 집씩 텔레비전이 생겼다. 그 시절에는 흔치 않았던 TV였다. 현대는 컴퓨터와 휴대전화로 노트북으로 연결해 텔레비전을 보는 세상이다. 참 편리하고 잘 사는 한국인 대한민국, 우리나라가 많이 발전되었다고 느끼며 현재의 내 모습을 거울에 비춰 본다. 나이는 들어가도 저마다 좋은 나이라 생각한다.

부모님께서 품앗이하는 날 저녁에 제시네 집에서 저녁밥을 먹고 뒤뜰로 나오니 언덕 경사진 곳에 뿌리를 걸친 붉은 매화나무 한 그루가 바람결에 휘날리던 향기를 추억한다. 가족처럼 그렇게 인심 좋은 마을이었다고. 그 시절을 그리며 꽃송이 날리는 뜰에 어린 소녀가 거기에 서 있는 것을 회상한다. 그녀는 그렇게 죽은 제시의 영혼이 불쌍한 생각이 들었다.

어머니의 말이 끝나자 남편이 어릴 적 추억을 말했다. 국민학교 때 혼자 큰집에 놀러 왔을 때, 큰아버지께서 큰 방죽 둑 언덕 풀숲에 앉아서 "용주야, 응, 응" 주먹을 휘두르는 시늉을 했다고. 어린 마음에 남편은 큰아버지를 믿고 재시와 싸웠는데, 재시 코에서 코피가 났다. 그날 저녁 재시 엄마는 재시를 데리고 큰아버지 댁에 왔고, 남편은 작은방 고구마 깡 둘레에 숨어서 바들바들 떨었다. 또 올까 싶어 겁을 먹고 잠도 설치다가 아침에 일어나서 간다는 인사도 못하고 새벽같이 영광 읍내에 있는 집으로 혼자 산길을 넘어왔다.

남편은 그때의 이야기를 하고는 그 나이에 일찍 하늘로 간 제시의 죽음을 숙연해 했다.

"친구 좋은 곳으로 잘 가시게나."

남편의 눈가에 비친 이슬이 말을 하듯이.

국민학교 여름 방학 때가 떠 오른다. 나는 아침밥을 먹고 호미와 바구니를 챙기시는 어머니를 따라 저수지 위에 있는 문중 밭으로 따라갔다. 문중 땅이 '해주 오씨'것이라고 했다. 적은 이자를 내고 토지세로 그 밭을 버신다고 어머니께서 말하셨다.

"은혜야, 이 밭은 해주 오씨 문중 땅이란다. 같은 해주 오씨라고 우리 보고 싼 이자로 벌라고 했다. 해주 오씨 문중이 부자란다. 저기 보이는 산이며 땅이 전부 문중 땅이란다."

그 밭에서 일을 하고 있는데 오후에 집에 갈 시간이 되자, 저수지에 물이 불어나 발목까지 넘쳐 흘렀다. 나는 앞서 걸어가시는 어머니 뒤를 따라가면서, 저수지 안에 담긴 물을 쳐다보았다.

스치는 이야기가 귓전에 들리는 듯했다.

"얘들아, 저기 집이 있다. 거기까지 우리 수영해서 뭐 있나 한번 가 보자." 말하고 급히 헤엄을 치면서 갔다. 친구들 눈에는 아무것도 안 보여 서로 쳐다보며 이상한 생각이 드는데, 그에게만 집이 보였다. 그곳을 향해 헤엄치며 중간쯤 가다가 그 친구가 그곳에 빠져 죽었다는 저수지를 보면서 그녀는 소름이 돋았고 갑자기 무서움이 들었다.

소나무 둘레로 넓고 깊은 시퍼런 저수지 물이, 넘실거리는 푸른 물살이 얼마나 무서웠던지. 발밑을 쳐다보니, 힘 있게 흐르는 물소리뿐, 둑 아래로 넘쳐흐르는 물줄기는 폭포수 같았다. 두려움에 휩싸인 눈가에는 촉촉한 이슬이었다.

둑길을 다 건너오자, 아래 신작로 길을 걸으며 지나온 둑을 올려다보며 "어머니 뒤를 잘 따라 지나왔구나!" 작은 안도의 숨소리를 내뿜는 소녀가 보인다. 그때야 어머니도 나를 보고 말하시며 웃으셨다.

그시절 둑이 넘쳐서 저수지 길 아래 풀숲으로 흐르던 물을 아직도 나는 잊지 못하고 있다. 장마철에 둑길 물이 넘쳐서 발목까지 흐르는 물이 무서워 조바심으로 저수지 둑을 어머니와 걸었던 추억이 있는 이곳 용마채를. 어머니와 문중 밭을 자주 다닌 곳. 숲길을 걸을 때는 오통통한 붉은 살오른 찔레를 꺾어 주셨다. 밭메시고 더위에 땀 식히려고 흐르는 계곡물에 태양에 달근 몸을 담그시던 모습이 보인다. 어머니 옷에서 흐르는 물줄기는 금세 바람과 햇살에 말랐다.

산기슭 병풍 둘레를 친 고풍스러운 해주 오씨 제각 마루에서 어머니와 도시락을 햇살에 얹어 먹었다.

그 밭에는 고구마, 콩, 옥수수, 딸에게 솜이불을 해 주려고 목화씨를 심었다. 하얀 솜사탕 목화꽃을 따 드릴 때, 어머니는 "은혜야, 시집갈 때 이거로 이불 해 줄게." 그러셨다.

연한 목화를 하나 따서 먹어 보라시던 어머니. 연한 목화 하나가 입안에서 달짝지근했다.

어느 해, 가을 고구마를 캐러 아버지, 어머니를 따라나섰다. 고구마에 상처 없이 캐려고 호미로 조심스레 캔 고구마는 알차고 토실했다. 줄기에 몇 개씩 달려 나왔다. 해가 저물어갈 무렵 어머니는 "캐 놓은 고구마를 모으고, 고구마 넝쿨로 덮어라." 하셨다. 군데군데 모아놓은 고구마 위에 고구마 넝쿨로 덮었다.

다음날, 밭에 가 고구마 넝쿨을 걷어내고 밭두렁으로 옮겼다. 지렁이가 줄기에 매달려 있을 때는 겁이 나서 몸에서 멀리 팔을 쭉 뻗어서 버리곤 했다.

아버지는 고구마를 지게에 담아 나르고 붉은 고구마 색상은 얼마나 탐스럽고 크고 예뻤는지. 겨울에 어머니가 군불에 구워 주신 군고구마가 생각난다.

한겨울 부엌에 있는 항아리에서 꺼낸 무 동치미에는 실얼음 조각이 떠 있었다. 어머니의 동치미는 위장이 개운하니 시원했고 물고구마는 달았다. 고구마로 꿀엿도 만들어 주시고 쑥떡을 먹을 때는 고구마 꿀에 찍어 먹곤 했다.

어느새, 내곁에는 아버지, 어머니가 있는 것같은 착각이 들어 주위를 두리번거렸다.

이곳저곳 어머니와 함께한 모습만이 가득히 배어있어 그리움이 출렁인다.

은혜는 어머니를 추억하며 배추와 무밭이던 고향 뒷산 길에 서 있다. "은혜야, 잔잔한 미소로 거기서 뭐 하니?"

"응, 그 시절 생각이 나서 그냥 행복해지네."

은혜는 뒷산 길에서 내려와 500년 넘은 감나무 집을 지날 때, 옛날 옛적에 나무꾼이 감나무를 베려다 도낏자루가 부러지고 도끼를 삼켜버렸다는 전설을 생각한다.

"여기 있는 감나무는 아주 장사여, 옛날 옛적에 나무꾼의 도끼가 저 속에 박혀 있다니까."

"도낏자루는 부러지고 도끼까지 삼켜버리고, 그 누구도 박힌 도끼를 빼려고 해도 빠지질 않아."

어릴 적에 친구 박순례 엄마가 말한 것처럼 "감나무 속에 도끼가 들어 있을까."

흙 밖으로 뻗은 굵직한 감나무 뿌리에 걸터앉아 놀았던 어린 시절, 우람한 감나무의 몸통 둘레는 신기하여 유심히 쳐다보며 감나무를 올려다보곤 했다.

그녀가 살았던 초가집 옛집 터로 발길을 향했다. 널따란 밭을 보고는, 작은 방죽이 있었던 자리를 바라보았다. 그때의 시절을 추억한다. 우리집 감나무는 가을이면 "철퍼덕, 철퍼덕" 텃밭에 홍시로 붉게 밝혔는데. 개복숭아꽃도 철 따라 휘날려 꽃향기 뿌려 간식도 주던 나무였는데. 지금은 감나무, 개복숭아, 초가집도 없어졌구나. 어릴 적 추억만이 덩그러니 가슴에 남았구나.

은혜는 고향 집터에서 추억이 남긴 향수에 젖었다.

추억의 회상

어릴 적 아름다운 추억 하나
아버지 어머니
타작한 볏단을 손으로 애써 이엉 엮어서
새끼줄 만들어 지붕 중앙 가장자리에
용마름 관을 씌우고 산뜻한 초가지붕을 갈았지

썩은 초가집 속에 굼벵이로 득실득실
통통히 살 오른 탐스러운 굼벵이는
징그럽고 무서운 존재였지
약으로 쓴다는 사람들 애써 모은다지만
꿈틀거리는 굼벵이 우리집 처마 밑에서 춤춘다

어머니 아버지는 방 윗목에 대나무로
둥근 원을 만들어 고구마 가득히 채웠지
겨울 대비하는 든든한 양식이었기에

텃밭에 감나무 한 그루 감꽃이 알차고
풍성한 열매 장대로 흔들어
어머니는 아랫목에 항아리 놓아 이불 덮여
미지근한 소금물로 떫은 감을 우려주었지
텃밭에 복사꽃 한 그루 붉어질 무렵

설익은 개복숭아

벌레 먹은 복숭아 고르지도 못한 채

꿀단지보다 더 맛있게 콩밭에 숨어 먹었지

고향 집터에서 추억의 시를 짓고 안부를 물었다.

"내 시절 고향 연동, 잘 있었느냐?"

"은혜야, 반가워. 고향에 와 보니 좋니? 그동안 어찌 살았고, 왜 이제야 온 거야."

"어머니가 계실 때 같이 올라오지, 왜 혼자 왔니?"

그때는 그녀도 어머니와 같이 가보려는 생각을 미처 하지 못했다. 아랫마을로 이사한 어머니를 찾아뵐 때면, 어머니가 계신 그곳이 내가 태어나 자란 고향이라 여겼기에.

오래된 그 감나무 집은 친구 이순화네가 살았다. 순화네가 도시로 이사를 하자, 한동안 비어있던 빈집을 행순이 아버지가 돌아가시자, 외딴집에 살던 노행순 엄마가 그 집으로 이사를 왔다. 내가 사는 집, 옆집이었다. 행순이는 후배이다. 항아리가 깨진 사금파리로 풀을 뜯어 상을 차리고 밥을 차려 같이 소꿉놀이한 기억이 있다.

겨울에는 작은 방죽에서 동네 아이들하고 썰매를 타고 발을 쭉쭉 뻗으며 즐기던 곳, 함박눈을 맞으며 추운 줄도 모르고 놀았었지. 마을 산당 어덕길에서 비료 비닐에 앉아 신나게 눈길을 내려오며 행복한 웃음을 짓는다.

"은혜야, 네가 행복한 추억을 갖고 사니까 좋아."

"그래, 언제든지 고향에 오거든 기쁘게 맞아주렴."

"그럼, 당연하지."

은혜는 부모님 산소로 발길을 옮겼다. 기도로 안부 인사 전하고 산소 둘레로 한 바퀴 돌아보고 나서, 정면으로 보이는 옹마채 저수지를 바라보았다.

그때 어머니가 일하신 문중 밭에서 "꿩, 꿩." 목청껏 외치며 하늘로 날아오른다. 새가 되어 "아버지, 어머니가 고향밭에 오신 걸까?" 화려한 장끼를 뒤따르는 까투리 꿩이 푸드덕푸드덕 나에게 응원을 보낸다.

"은혜야, 고향에 와도 부모가 없다고 너무 슬퍼하지 마. 사람들은 언젠가는 죽게 되잖아. 사람이 죽는 것은 신이 정하신 뜻이고 나이 순서가 없듯이, 소꿉친구가 빨리 별이 되어도 외로워하지 말고 지금처럼 하루하루 성실히 잘 살면 돼."

"그래, 마음을 알아줘서 고마워."

은혜는 고향에서 마음의 힘을 얻어 고향길에서 차를 타고 들녘의 논, 밭, 고향의 집들을 지나서 고속도로 길을 향해 달린다. 고향나무들이 한없이 따라오며 힘내라고 응원하며 배웅해 주었다.

그 날 의

식 사

하
영

1.

오전 11시 30분, 직원들의 계급을 확인시켜 주는 시간이다. 서로 웃는 얼굴로 맛있게 드시라고 한다. 그들이 직원용 구내식당으로 몰려가면 도시락이 든 쇼핑백을 들고 탕비실로 향한다. 그들은 뜨듯한 국과 단백질류의 메인 반찬, 김치류 한가지와 서브 반찬 두 가지 정도, 후식용 디저트를 배식받을 것이다. 요일이나 절기에 따라 특식이 나오기도 할 것인데 그런 날은 점심시간이 되기 전부터 서둘러 나가기도 한다. 가끔은 그들도 구내식당에 가지 않는 날이 있다. 그러나 그런 날도 그들과 함께 식사하는 일은 없다.

복도 끝 탕비실에 도착해 창가 둥근 테이블에 도시락을 꺼내

놓는다. 텀블러에 찬물과 뜨거운 물을 번갈아 채운다. 의자에 앉자마자 권주언니가 들어왔다.

"음— 오늘은 무슨 반찬?"

언니는 자신의 도시락을 테이블에 내려놓으며 늘 같은 질문을 한다. 우리는 점심 짝꿍이다. 정확히는 12층의 단 둘뿐인 계약직이다.

"김이랑 도토리묵이에요."

도토리묵에 1회용 간장을 뿌린다.

"난 계란말이. 에휴, 깔끔하게 매운 김치 먹고 싶다. 내가 김치 좋아하는 거 입사하고 알았잖아."

고개를 끄덕인다. 사실 김치보다 컵라면을 못 먹는 게 아쉽다. 탕비실 안에서 냄새나는 음식은 먹을 수 없다. 박 대리는 12층의 암묵적인 규칙이자 탕비실을 이용하는 모든 사람이 지켜야 하는 예의라고 했다. 누가 정한 것인지는 알 수 없지만 탕비실에서 식사를 하는 사람 누구도 토를 달지 않았다. 우리는 구내식당에서 식사를 마친 사람들이 들어오기 전에 서둘러 식사를 마쳤다. 정수기 옆의 싱크대 위에는 믹스커피와 녹차, 둥글레차, 캡슐커피, 커피머신이 있다.

"캡슐커피 못 마시게 하는 것도 치사해. 내가 캡슐커피 가격만큼 믹스 먹는다."

권주언니는 내 귓가에 소곤거리며, 700㎖ 텀블러에 믹스커피 다섯 봉지를 털어 넣었다. 나는 입 모양으로만 웃으며 텀블러에 물을 더 담았다. 우리는 쇼핑백에 도시락을 챙겨 넣고 엘리베이 터를 탔다. 회사 옆 아파트 단지로 들어가 벤치에 앉았다.

"언니 없으면 점심 굶을까 봐요."

"걱정 마. 누가 또 들어오겠지. 야! 누구 좋으라고 밥을 굶니? 든든히 먹어. 구내식당 못 가는 것도 열 받는데... 믹스커피도 다섯 개 아니, 열 개씩 막 마셔!"

둘은 잠깐 웃다가 조용해졌다. 언니의 계약은 종료되었고, 마지막 진담을 주고받았다.

일주일 뒤 본사에서 채용된 정규 신입직원이 출근했다. 그들은 신입사원에 대해 수군거렸다. 나는 그들이 될 그에 대해 알고 싶지 않았고, 알 수도 없었다. 11시 30분이 되자 그들은 일제히 일어났다. 신입사원도 눈치껏 일어서며 옆자리에 앉아있는 내게 말을 걸었다.

"선배님, 식사 안 가세요?"

"전 도시락을 싸와서요."

"아, 운동하시나 봐요."

더 대답을 하려 했지만, 박 대리가 신입사원의 팔을 툭툭 쳤다. 나가면서 신입사원 귓가에 어떤 이야기를 했다. 들리지 않았지만 들렸다. 인화씨는 선배가 아니고 계약직이다. 계약직은 구내식당 이용 불가다. 탕비실 캡슐커피도 못 마시고, 문구도 자유롭게 못 쓴다. 이런 말들.

탕비실에 앉아 도시락을 꺼냈다. 뚜껑을 열었다. 하얀 쌀밥과

감자볶음. 하얀 연두부. 도시락이 너무 하얗다. 하얀색은 냄새가 안나는 걸까. 연두부에 유자소스를 뿌리려다 생각한다. 유자소스는 냄새가 나는 걸까, 안나는 걸까. 물끄러미 도시락을 내려다본다. 드르륵, 핸드폰이 흔들렸다.

[부고 / 고 이단하 / 00병원 장례식장 B03....]

이 단 하? 단하... 단하!

작년 가을 이후 단하를 보지 못했다. 흘러내리는 옆머리를 귀 뒤로 단정히 넘기고 핸드폰을 눈 앞으로 들어 올렸다. 부.고. 핸드폰을 잡은 두 손을 가만히 무릎 위에 올려놓았다. 누군가 탕비실에 들어온 것을 알아차리고 나서야 손대지 않은 도시락 뚜껑을 닫았다.

2.

4학년 2학기였다. 대형 금융사에 취직하고 싶었지만, 준비하던 자격증의 그해 마지막 시험에도 떨어지고 말았다. 결과를 확인하고 다리를 심하게 떨었다. 눈물을 흘리기에는 졸업까지의 시간이 너무 짧았다. 과락이었으므로, 전략을 짜서 도전한 것이 실패의 원인이었다. 조금이라도 노력을 덜 하려고 했던 자신을 자책했다. 잠시 후 집안 사정을 뻔히 알면서도 휴학을 허락해 주지 않은 부모님이 원망스러웠고, 조금 있다가 부모님을 원망하는 내가 한심했다. 이후에는 무엇이라도 더 열심히 하고, 어디든 가리지 않고 입사지원서를 내야겠다는 생각과는 다르게 더 많이 잤고, 더 많이 쉬었고, 더 많이 먹었다. 혹시라도 붙어있는 구인 공고에 내게 없는 자격이 써있을 것이 두려워 취업지원팀 앞은 피해 다녔다.

누구도 만나고 싶지 않았지만, 집에 있으면 누군가 내 목을 조이는 듯 숨이 안 쉬어지곤 했다. 강의는 월,수,목요일에 있었지만, 매일 학교로 향했다. 하루 종일 혀가 마르고, 껄끄러웠다. 먹고 싶지 않아도 배는 고팠다. 벌을 주듯 배고픔을 견디다 오후 3시가 되면 첫 끼를 먹었다. 학생식당 백반은 밥을 마음껏 풀 수 있고, 계속 반찬을 리필 할 수 있었다. 누구의 눈치도 보지 않고 마음 편히 밥을 먹었다. 그 때 내가 원하는 대로 할 수 있는 일이 그것뿐 이었다.

그날도 혼자 4인용 테이블을 차지하고 앉으려던 참이었다. 반가움이 잔뜩 묻어 있는 "언니"라는 목소리에 고개를 들었다. 모르는 사람이었다. 그 아이는 환하게 웃으며 나보다 먼저 맞은편 의자를 빼고 앉았다. 낯빛은 환한 웃음과 다르게 거무튀튀했다. 눈 밑 그늘이 툭 튀어나온 광대를 지나 움푹 패인 볼로 이어져 있었다. 계절보다 빠르게 입은 두툼한 터틀넥 스웨터에 두개골이 얹어져 있는 것처럼 보였다. 머리결은 짙은 검은 빛으로 윤기가 났다. 나는 이미 식반을 테이블 위에 내려놓은 상태라 모른 척 자리를 옮길 수가 없었다.

"어, 어, 안 녕!

짧은 인사말이 한 음절씩 간격을 두고 나왔다.

"언니, 저 단하에요. 저 기억 안 나지요? 신입생 설명회 때 언니 봤었어요."

"아, 그랬구나. 기억 못해서 미안해."

모른 척하기를 포기하고 식판 앞에 앉았다. 재작년 신입생 설명회에 학과 선배로 참가했기 때문에 단하는 3학년 일것 같았다. 3학년 후배들은 다 안다고 생각했는데, 단하의 얼굴은 도저히 기억나지 않았다. 단하는 아무렇지 않다는 듯 말을 이었다.

"언니도 점심 드세요? "

단하는 참크래커 한 팩을 제 앞에 꺼내 놓았다. 그 안에는 크래커가 4개나 5개 정도 들어있었다.

"점심이면 밥을 먹지."

단하의 손가락은 앙상한 겨울나무 가지 같았다.

"저 휴학했었어요. 거식증이 심해져서요. 이제 나아서 복학했는데, 아는 사람이 없어서 과자 샀어요. 아는 사람 있는 걸 알았으면 밥 시킬걸."

거식증 이야기를 듣고 왜 밥을 먹으라는 오지랖을 부렸는지 후회했다. 아픈 상처를 건드린 것 같으면서도, 알지도 못하는 사람의 너무 깊은 이야기를 들어버린 것이 짐스러웠다. 단하가 진짜 나를 아는 건지, 진짜 밥 먹을 생각이 있었던 건지 알 수 없었지만, 사근거리며 대답하는 사람에게 -도대체 누구세요?-라며 정색할 수가 없었다.

"제 얼굴 너무 이상하지요? 헤헤헤"

"아아니, 괜찮아!"

나는 너무 큰소리로 괜찮다고 한 것이 미안해 밥을 먹기 시작했다. 단하는 내가 첫 술을 뜨자 손바닥보다 작은 크래커 팩을 찢었다. 엄지와 검지만으로 크래커 한 조각을 들었다. 크래커의 오른쪽 위 첫 번째 구멍까지만 베어 물었다. 그리고는 천천히 꾹 다문 입을 우물거렸다. 단하는 시간을 재면서 먹는 듯 균일한 속도로 꼭 그만큼씩 크래커를 베어 물었다.

단하의 손놀림과 과자를 베어 먹는 모습을 보고 있자니, 나도 모르게 천천히 밥먹는 속도가 느려졌다. 단하가 크래커를 두 개까지 먹었을 때 내 식판에 밥은 반도 줄어있지 않았다. 마음이 조급해졌다. 단하가 크래커를 다 먹고 나면, 나보다 먼저 일어날까? 앉아서 나를 기다리면 어쩌지? 먼저 가라고 말해줘야 하나? 어색함을 피하는 방법은 하나였다. 단하와 같이 식사를 마치는 것. 나는 수저를 빠르게 움직이기 시작했다. 그날따라 감자볶음이 너무 푹 익었는지, 젓가락으로 집으려고 하자, 반으로 부서졌다. 어쩔 수 없이 감자볶음도 숟가락으로 펐다. 크래커 팩에는 하나의 크래커만 남아 있었고, 단하의 손끝에는 3분의 1만큼을 먹어버린 크래커가 들려있었다. 왜 이렇게 밥을 많이 펐을까. 후회할 틈도 없이 한 숟가락에 두 숟가락 양의 밥을 퍼서 입에 넣고, 우물거리듯 삼켜버렸다. 단하가 마지막 크래커를 집어 들었을 때 남은 반찬이 없었다. 오늘은 내가 좋아하는 도토리묵이 나왔는데. 더 가지러 갈 수 없었다. 짜증이 났지만, 무슨 이야기라도 하면, 단하의 또 다른 속 깊은 이야기를 들어줘야만 할 것 같았다. 어쩔 수 없이 멀건 콩나물국에 밥을 말았다. 후룩후룩 소리를 내며 먹기 시작하자 단하는 잠시 크래커를 베어 무는 것을 멈추었다. 단하가 행여 내가 먹는 속도에 맞추는 건가 걱정이 되어 마음이 급해졌다. 단하의 마지막 크래커가 다 사라지기 전에 식판을 거의 비웠다. 하지만 단하는 크래커를 베어 무는 양이나, 입안에서 녹이는 속도를 바꾸지 않았다. 결국 내가 먼저 식판을 비우고 단하를 기다렸다. 그러는 동안 단하에게 입학 후 갑자기 거식증이 찾아왔고. 휴학한 후 정신병동에 입원했었다는 이야기까지 듣고 말았다. 단하는 마지막 크래커까지 우물거려 삼킨 후에도, 오랜만에 만난 친한 선배에게 이야기하듯 휴학 후 있었던 여러 이야기들을 줄줄 읊었다. 난 응원과 위로 중 무엇을 건네야 하는지 알 수 없어 연신 고개만 주억거렸다. 내게 점심 먹으러 늘 이 시간에 오느냐고 물었을 때는 날마다 달라진다고 둘러댔다. 다음에 만나면 밥을 사주겠다고 덧붙이며, 식판을 들고 일어섰다.

단하는 다음 목적지를 물었다. 더 이야기하고 싶은 눈치였지만, 난 누구의 이야기도 들어 줄 여유가 없었다. 낙방, 취업, 돈, 백수, 자격증, 진로, 연봉, 소기업 같은 단어들이 머릿속에 뒤죽박죽 얽혀 있을 뿐이었다. 도서관에 갈지, 과방에 갈지 고민하고 있었지만, 한 시간 후 강의가 있다는 단하의 간절한 눈빛을 보고 셔틀버스를 타고 바로 나가야 한다고 했다. 단하는 매우 아쉬워했다. 다음에도 같이 점심 먹어요, 라는 말에는 다음에 밥을 사주겠다고 웃으며 대답했지만 당분간 학생식당은 오지 않기로 마음먹었다.

학생식당을 나와 서로 손을 흔들며 또 보자고 했다. 셔틀버스 정류장으로 향하면서 할 일도 많은데 왜 모르는 후배 때문에 학교에서 쫓겨나듯 나가야 하는지 억울한 마음이 들었다. '내가 더 힘들다.' 마음 속의 작은 악마가 나를 다독였고, 출발하려는 셔틀버스를 놓치지 않기 위해 걸음을 빠르게 했다. 몇 발자국 더 가 뒤를 돌았을 때 종아리까지 덮는 모직 롱 플레어 스커트를 입은 단하의 뒷모습이 보였다. 치마와 운동화 사이로 보이는 복숭아뼈는 두꺼운 검정 스타킹으로 가려져 있었지만, 손가락만 튕겨도 부러져 버릴 듯 한 굵기가 고스란히 드러났다. 단하는 세상의 시간은 상관없다는 듯 천천히 걸었다. 몸에 걸친 옷들은 단하의 움직임과 반대로 움직이는 듯 벙벙하게 떠 있었다. 단하의 푹 숙인 얼굴에는 조금 전 나를 보며 함께 했던 웃음이 없을 것 같았다. 단하는 내게 말을 걸었고, 웃었고, 속을 드러냈다.

난 방향을 바꿔 단하를 향해 뛰었다.

"단하야! 내가 연락처 안 알려줬다. 나 번호 바뀌었거든."
"네.. 고마워요"

단하는 수그리고 있던 고개를 들고 퀭한 눈으로 웃었다.

3.

앉아서 버스를 타고 싶어 하는 대여섯 명의 양보를 받아 사람이 꽉 찬 셔틀버스에 올라탔다. 더 기다리기에는 바람이 차가웠다. 바람이 가장 안 들어오는 도서관 벽 쪽 자리에 앉을 계획이었다. 휙휙 지나가는 가로수들은 온몸으로 시간을 맞이해 벌써 단풍진 잎들이 떨어지기 시작했다. 곧 겨울방학을 하고, 졸업까지 하고 나면, 그 다음엔 어디로 가야 할까? 답도 없는 생각을 하다 보니 학교에 도착했고 버스에서 내렸다. 학생들은 뛰어가기도 하고, 걸어가기도 했다. 내게도 도서관 벽 쪽 자리라는 목적지가 있었는데, 발걸음이 떨어지지 않았다. 뒤를 돌아 교문 쪽을 바라봤다. 한 자리에 서 있을 때 누군가 나를 불렀다.

"언니."

옆을 돌아봤을 때, 단하가 서 있었다.

"수업 있니?"

"이따요. 일찍 왔어요. 언니는 수업 있어요?."

"아니."

"언니, 학교에서 제일 경치 좋은 곳이 어디에요? 제가 학교를 거의 안 나와서 잘 몰라요."

"교수식당 카페 가봤어?"

"언니 저랑 거기 가요. 네?"

열흘만에 만난 단하의 목소리는 여전히 쾌활했고, 눈 밑 그늘은 턱까지 내려와 있었다. 단하의 얼굴은 두해살이 풀의 두 번째 해 가을빛이었다.

"응. 가자."

도서관에 가서 할 일은 많았다. 자격증 시험공부는 다시 시작했고, 그와 상관없는 자소서도 새로 써야 했다. 하지만, 오늘은 너무 추웠다. 도서관 창가 자리는 바람이 많이 들어올 것이고, 벽 쪽 자리는 숨쉬기 어려울 만큼 답답할 게 분명했다. 나는 선심쓰듯 대답했지만, 마음속으로는 도서관에서 탈출시켜준 단하에게 절이라도 할 만큼 고마웠다.

3강의동 7층에 있는 교수식당 카페는 삼면이 유리로 되어있다. 카페 오른쪽은 입주한 지 1~2년 정도 된 아파트 단지가 보이고, 그 뒤로는 대형 크레인이 몇 개나 더 있다. 앞쪽과 왼쪽으로는 학교 전경을 시작으로 서울을 둘러 싼 산이 보였다.

"우와. 언니 여기 진짜 멋있어요."

단하는 한 바퀴 천천히 돌더니 왼쪽 창이 정면으로 보이는 가운데 자리에 가방을 내려 두었다.

"내가 살께. 뭐 먹을래?"

지난 번 식당에서 몰라본 것이 미안했고, 빈말로 밥 사주겠다고 하는 사람이 아니고 싶었다.

"전 두유요. 따뜻한 걸로."

"케익도 골라."

케익 진열대 앞에서 단하의 표정이 어두워졌다. 난 재빨리 얼그레이 케익이 제일 맛있다고 알려주며 주문했다. 단하는 내 옆에 서 있다가 어느새 결제를 했다. 단하는 웃으며 다음에 밥으로 사달라고 했다.

"언니, 저 산 이름이 뭐예요? 저기, 가보고 싶어요."

나도 모른다. 궁금해 본 적이 없었다. 단하의 눈빛은 이미 저 산속에 있는 어느 오솔길을 걷고 있는 것 같았다. 단하의 눈을 쫓아 뒤를 돌아보니 부드러운 능선으로 몇 개의 봉우리가 오르내리고 있었다. 산, 그 옆의 산, 다시 뒤의 산, 또 옆의 산에 울긋불긋 단풍이 한창이었다. 투명하고 두꺼운 유리 밖의 세상은 박물관 유리 안에 잘 보관 되어진 조형물처럼 계속 그대로일 것만 같았다.

"나중에 가보면 되지."

"나중에..."

단하는 웃지 않았다. 먹지도 않았다. 쌉싸름하고 달콤한 얼그레이 케익 위에는 눈에 보이지 않는 먼지가 차분히 쌓여가고 있었다. 아무래도 내가 말실수를 한 것 같았다. 먹는 행위까지 한다면 단하를 기만하는게 아닐까. 난 알지 못했다. 거식증에 대해서도. 단하에 대해서도. 단하의 새까만 머리카락이 유난히 빛

났다.

4.

동기들과 함께 갈까 하다가 혼자 가기로 했다. 아무에게도 같이 가자는 연락이 오지 않았다. 동기 중 단하를 아는 사람이 없어서인 것 같았다. 가기로 결정하고 나니, 내가 단하의 장례식에 갈 만큼 친한 사람인지 고민이 되었다. 부의금을 얼마 할까 하다가, 단하에게 밥을 사주면 이 정도 썼겠다 싶은 금액을 내기로 했다.

가장 사람이 많을 시간에 잠깐 들를 생각이었지만, 옆 호실과 다르게 단하의 장례식장은 한산했다. 내가 들어서자 단하의 부모님으로 보이는 두 분이 일어섰다. 인터넷으로 검색해서 알아낸 대로 국화를 놓고 절을 했다. 통통하게 살이 오르고 얼굴이 뽀얀 단하의 어린 얼굴이 낯설었다. 부모님께 뭐라고 말씀을 드려야 하는데 입을 떨어지지 않았다. 단하의 어머니가 알아듣기 어려울 정도로 쉰 목소리로 이야기했다.

"친구니? 와 줘서 고맙네. 그냥 가지 말고 밥 먹어. 응. 꼭 먹어. 그래야 단하가 좋아할 거야."

"네."

테이블을 혼자 차지한 사람은 나 뿐이었지만 사람 없는 테이블이 더 많았다. 손이 빠른 도우미분들이 "식사 하시지요?" 묻더니 대답도 듣기 전에 뜨끈한 육개장과 흰밥을 차려 주었다. 몇 가지 밑반찬과 떡, 마른안주, 음료수들이 원래 자리가 여기라는 듯 착착 놓여졌다. 다 차려진 상을 보니 단하에게 밥 한끼 사주지 못한 게 미안했다. 얼굴도, 이름도 기억 못한 선배가 뭐가 고맙다고 굳이 케익까지 사 줬을까. 수저를 들지 못하고 하얀 비닐 식탁보를 보고 있었다. 바로 옆 테이블에 단하와 비슷한 또래의 여자 세 명이 들어와 앉았다. 크지 않은 목소리였지만 나도 모르게 그들의 이야기를 듣고 있었다.

"어쩌다가 이렇게 된 거야?"

"병원 치료받는다고 하지 않았어?"

"그러게. 참...."

"학교 다닐 때부터 거식증하고 우울증이 심했잖아."

세 사람은 소곤거리다 눈물을 찔끔했다하며 말을 이었다. 나는 단하에 대해 더 알려고 하지 않은 것이 미안해 가만히 단하의 이야기를 들었다.

"에휴. 학교 다닐 때 대학 가고 싶다고 노래했었는데."

"결국 대학은 못 다녀봤네."

"단하 대학 안 다녔어요?"

나도 모르게 말을 물었다.

"네? 네." 셋은 서로 번갈아 얼굴을 보며 어리둥절한 표정을 지었다가 다시 자신들의 이야기에 빠져들었다.

단하는 왜 내게 아는 척을 했을까? 혼자 있어서? 식판에 밥이 많아서? 내 얼굴도 단하의 얼굴만큼 어두운 빛깔이었나? 밥을 먹지 못하고 있는 내 앞에 단하가 와 앉았다. 꼭 거기서 밥을 먹고 싶었어요. 아는 사람이랑 같이요. 혼자는 싫었거든요. 같이 먹어줘서 진짜, 진짜 고마워요. 오늘은 저도 밥 먹을게요. 같이 먹어요. 단하는 흰 쌀밥을 한 숟가락 퍼서 입을 크게 벌려 한입 가득 물었다. 젓가락으로 홍어무침이며, 진미채를 하나씩 집어서 입 안에 넣고 입술을 다문 후 꼭, 꼭 씹었다. 육개장 국물한 숟가락을 삼킬 때는 흐허~하는 소리를 내고 수줍은 듯 웃었다. 나도 플라스틱 숟가락으로 육개장 국물을 떴다. 마시지도 않은 술이 풀리듯 막힌 속이 내려갔다. 장례식장 음식들은 슬픔으로 아무런 간이 없을 것 같았는데, 홍어무침이며, 진미채가 적당히 맵고, 달아 입맛이 돌았다. 꼬치전과 생선전은 고소했고, 배추김치는 새로 담은 듯 아삭하고 매콤했다. 흰색과 쑥색이 한 줄씩 나란히 놓인 절편은 아까 담아준 것인데도 말랑하면서 쫀득했다. 나는 단하와 마주 앉아 서두르지 않고 천천히 밥을 먹었다. 눈을 마주 보았고 조용히 웃었다. 단하의 얼굴이 조금은 살이 오른 것도 같았다. 밥을 다 먹은 다음에는 방울토마토와 포도를 먹었다. 우리는 식혜까지 다 마시고 나서 일어서기로 했다.